Disney

ゆがめられた世界
Disney Twisted Tale

レッド・イッド・ゴー 上

ジェン・カロニータ／著
池本 尚美／訳

Gakken

降《ふ》りはじめた雪は　足あと消して
真っ白な世界に　ひとりのわたし
風が心にささやくの
このままじゃ　ダメなんだと

とまどい　傷《きず》つき
だれにも　打ちあけずに　悩《なや》んでた
それももう　やめよう

ありのままの　すがた見せるのよ
ありのままの　自分になるの
なにもこわくない　風よ吹《ふ》け
少しも寒くないわ

《アナと雪の女王》に夢中な大親友、
ジョウニー・クックとクリスティン・マリーノへ
――ジェン・カロニータ

本書は2020年に小学館より『アナと雪の女王～ひきさかれた姉妹～』の邦題で
刊行されたConceal, Don't Feel：A Twisted Taleの全文を収録した完訳版です。

1 エルサ

「アレンデール王国のエルサ王女です！」

エルサは王と王妃《おうひ》の後ろから日のあたる場所へ進み出た。城の前庭や城壁《じょうへき》の門の前の道や広場で、王女の登場を待ちわびていた王国の民《たみ》たちが割《わ》れんばかりの拍手《はくしゅ》で出むかえる。おそらく数百もの民が集まっているだろう。老いも若《わか》きも、アレンデール王国の紋章《もんしょう》が描《えが》かれた旗をふったり、花を投げたり、歓声《かんせい》をあげたりしている。父親に肩車《かたぐるま》されている子もいれば、馬車の屋根に立っている者、近くの家の窓《まど》から身をのり出している者もいて、だれもが王女をよく見ようと躍起《やっき》になっている。王と王妃は民との交流には慣れていたが、十八歳《さい》のエルサがこういった公《おおやけ》の場《ば》に出るようになったのは、つい最近のことだった。

ほんとうのことをいうと、エルサは人前に出るのが好きではなかった。だが、これは王女としての務《つと》めなのだ。

「ようこそ、エルサ王女！」人びとがさけぶ。エルサと王と王妃は、この日のためにつくられた高い演壇《えんだん》に立っていた。ここからだと、城の前庭やその向こうを見わたせて、とてもながめがいい。だがエルサは、こうしてここに立っていると、自分が見せ物になったような気がするのだった。じっさい、そのとおりなのかもしれないけれど。

「ほら、見てごらん！　アレンデール王国の王女さまだよ」エルサの耳に、母親がおさない娘《むすめ》に話しかける声が聞こえた。「きれいだねえ。贈《おく》り物をおわたししなさい」

その女の子は演壇の前に立っていた。手には紫《むらさき》のヘザーの花束《たば》をもっている。エルサの大好きな花だ。だが、演壇は高いし、女の子が花束をわたそうと手をのばすたびに、後ろにいるおぜいの人に押《お》されてしまってうまくわたせない。

エルサは許可を求めて王妃《おうひ》を見た。王妃が小さくうなずいたので、エルサはあわい青のドレスのすそをもちあげながら演壇の階段《かいだん》をおりていった。ドレスはこの日のためにジャケットと合わせて仕立《した》てられたものだ。エルサの目は王妃と同じ青だったが、髪《かみ》は金色で王に似ていた。髪はいつも一本に編んで、うなじの上のあたりでシニヨンにまとめている。

「すてきなお花をありがとう」とやさしくいって女の子から花束を受けとると、エルサは壇上にもどり、人びとに話しかけるために前を向いた。おおぜいの人の前で話すときは、ユーモアを心がけることが大切だと王から教わっていた。

エルサは思い切って口を開いた。「今日のこの昼さがり、アクセル・ルーデンバーグ氏《し》のブロンズ像の除幕式《じょまくしき》に、こんなにもおおぜいの人が集まってくれてうれしく思います。寛大《かんだい》にもルーデンバーグ氏は、この王国のために王家のブロンズ像を寄贈《きぞう》してくださいました」人びとが拍手《はくしゅ》をする。「覆《おお》いの布をとる前に、ひとつお伝えしたいことがあります。ルーデンバーグ氏は何年にもわたってこの作品に取り組んでくださいましたので、ひょっとしたらブロンズ像のわたしは、いまみなさんの前に立っているわたしよりも、ずっと若《わか》いかもしれません」

人びとのあいだからくすくすと笑い声が起こり、エルサは誇《ほこ》らしげに王をちらりと見た。この台詞《せりふ》をいうのはエルサのアイデアだった。王はエルサにはげますような笑顔を向けた。

「わが王国への、この上なくすばらしい贈り物に深く感謝します」エルサはルーデンバーグ氏を見てほほえんだ。「では、前置きはこれくらいにして、ルーデンバーグ氏をご紹介《しょうかい》しましょう」

わきにどき、老齢《ろうれい》の彫刻家《ちょうこくか》にこちらに来るようにうながす。

「ありがとうございます。エルサ王女」ルーデンバーグ氏は白いあごひげがひざにつくほど深々《ふかぶか》とエルサにおじぎをすると、人びとのほうを向いた。「アグナル国王とイドゥナ王妃、そして清《きよ》らかなるエルサ王女から、光栄にも王家のブロンズ像をつくる許可をいただきましたことに心よりお礼申しあげます。城壁《じょうへき》の門をくぐった者を真っ先に出むかえるこのブロンズ像を見て、近隣《きんりん》や遠方《えんぼう》から来た人びとがよろこんでくださいますように」ルーデンバーグ氏が助手に目で合図すると、助手がさっと進み出て、噴水《ふんすい》のへりにのびているロープをつかんで引っぱった。噴水の真ん中にあるブロンズ像をおおいかくしている布に巻《ま》かれたロープがほどける。「アレンデール王家のみなさまに捧《ささ》げます！」布が落ちてブロンズ像があらわになった瞬間《しゅんかん》、人びとがはっと息をのむ音がして、大歓声《だいかんせい》がわきおこった。

王も王妃《おうひ》もエルサも、完成したブロンズ像を見るのはこのときが初めてだった。

エルサはまだ十一歳《さい》のころ、ルーデンバーグ氏の前にすわり、スケッチのモデルになったことは覚えていたが、ルーデンバーグ氏がずっとこのブロンズ像の制作に取り組んでいたことはつい最近までわすれていた。除幕《じょまく》式のときに人びとの前であいさつするように、と王にいわれて、ようやく思い出したくらいだ。

「なんて美しいのでしょう」エルサはルーデンバーグ氏にいった。その言葉にうそはなかった。目の前にあるブロンズ像は、過去のある一瞬《いっしゅん》を凍結《とうけつ》したかのように王家の三人にそっくりだった。王冠《おうかん》とローブを身につけた若々《わかわか》しく堂々《どうどう》たる国王、ティアラとすばらしいドレスを身にまとった美しい王妃。そして、ふたりに守られるようにしてそのあいだにいるのは、ひとり娘《むすめ》のエルサ王女だ。ブロンズ像のエルサは、十八歳のいまのエルサよりもずいぶんとおさない。

十一歳のときの自分の像を見ているうちに、エルサの胸《むね》に複雑《ふくざつ》な感情がこみあげてきた。きょうだいがいたらよかったのに、とこれまでどれほど願ったことだろう。王と王妃は王国を治めることにいそがしく、きょうだいのいないエルサはずっとさびしさをかかえてきた。山のように勉強しなければならないことがあったが、だれもいない部屋から部屋へとひとりさまよい、ただ時間がすぎるのを待つことも多かった。もちろん王も王妃も、家臣《かしん》や貴族《きぞく》の子どもなど遊び相手を見つけてくれたが、それは、きょうだいがいて、いっしょに育ち、秘密《ひみつ》を打ちあけ合ったりするのとはちがう。エルサはこのさびしさをずっと胸に秘《ひ》めてきた。王と王妃を悲しませたくなかったからだ。王妃はエルサを産んだあと、子どもを授かることはなかった。

「とてもすてきなブロンズ像ね、お母さま」エルサは王妃を見つめた。

エルサのとなりに立っている王妃は、青い目でブロンズ像のすみずみにまで見入っている。やがて、聞きとれないほど小さなため息をつくと、エルサを見た。その目は悲しげだ。「ええ、ほんとうに」といってエルサの手を強くにぎりしめ、王のほうを向く。「すばらしいブロンズ像だわ。わたしたち家族の生き写しのよう。そう思わない？」

こんなにもよろこばしい機会だというのに、ふたりともどこかさびしげだ。このブロンズ像は、いまよりもっと若かったころの王と王妃を模《も》している。ふたりとも、時がすぎるのはなんて早いのだろうと悲しんでいるのだろうか。王はまだ活力にあふれているのに、エルサが王位をつぐ日のことを、たびたび口にする。なにがそんなに悲しいのだろう、とエルサは思ったが、その問いは胸《むね》にしまっておいた。こんな公《おおやけ》の場《ば》できくべきことではない。

「ああ、そうだな、じつに光栄なことだ」王は王妃《おうひ》にそう答えると、なにかいいたそうにエルサを見つめていたが、やがて思いを断《た》ち切るかのようにこういった。「エルサ、集まってくれた人びとに感謝の意《い》を伝えなければならない。これからルーデンバーグ氏の栄誉《えいよ》をたたえて晩《ばん》餐会《さんかい》を開く。そろそろ城にもどって、客人《きゃくじん》をむかえる準備をしよう」

「はい、お父さま」と答え、エルサは王のあとにしたがった。

「アクセル・ルーデンバーグ氏と、彼《かれ》のすばらしい作品に！」と王がいい、大広間《おおひろま》のごちそうがならんだテーブルの上に、ゴブレット*1を高くかかげた。客たちも同じようにゴブレットをかかげる。

「アクセルに！」と人びとが口々《くちぐち》にいい、カチンとゴブレットを合わせた。

料理は豪華《ごうか》だった。長いテーブルはにぎやかな客たちでうまっている。エルサのそばには、王のもっとも信頼《しんらい》のおける友であり、王が直々《じきじき》に招待したピーターセン卿《きょう》がいた。ほかに、ルーデンバーグ氏とその家族もいる。アレンデール王国の長年にわたる貿易相手国であるウェーゼルトン国から、はるばる船にのってやってきたのだ。ウェーゼルトン公爵《こうしゃく》もいっしょに海をわたってきて、エルサのとなりにすわっていた。

「そして、アレンデール王国とウェーゼルトン国に！」とウェーゼルトン公爵がつけくわえた。公爵はよくしゃべる。体が小さく、立ちあがると、同じテーブルのほかの客より三十センチくらいは背《せ》が低そうなのがわかる。「両国が、ともに繁栄《はんえい》することを願って！」

「アレンデール王国とウェーゼルトン国に！」と人びとが声をそろえる。

エルサは王妃とゴブレットを合わせた。

「ようやくこうして食事をともにできましたことを、うれしく思いますぞ」と公爵が王妃にいった。給仕《きゅうじ》が主菜《しゅさい》の皿をさげ、デザートの準備を始めている。「王女にもお目にかかれてなんともよろこばしい。アレンデール王国の未来は明るいですな」といったあと、公爵は眉《まゆ》をよせた。「だが、ずいぶん長いあいだ、王女は公の場にすがたを見せなかったようだが」

エルサはおだやかな笑みを公爵に返しただけで、なにも答えなかった。いつも王妃にこういいきかされている。王女としての役割《やくわり》のひとつは人びとの話によく耳をかたむけること。大事なことをいわなければならないとき以外は、なるべく口をつぐんでいなさいと。

「エルサは勉強にいそがしくて、いままでは公の場に出るのをひかえておりましたの」王妃はそう公爵にいうと、ルーデンバーグ氏のほうを向いた。「でも、わたくしたち家族のブロンズ像の除幕式《じょまくしき》なのですから、今日はよろこんで出席させていただきましたのよ。今夜は、あのすばらしいブロンズ像のことで話はもちきりでしょう」

エルサは口を手でおおい、思わず口もとをゆるめてしまいそうになるのをかくした。王妃《おうひ》は話題を巧《たく》みにそらすコツを心得《こころえ》ている。

エルサがウェーゼルトン公爵《こうしゃく》に会ったのはこの日が初めてだったが、会ってすぐに、同じ公爵でも、ブレークストン公爵のほうがずっと好きだと感じた。ブレークストン公爵はやさしい目をしていて、城に来るときはいつもポケットいっぱいのチョコレートをもってくる。そして、食事の席での退屈《たいくつ》な会話にうんざりしているエルサに、こっそりわたしてくれるのだ。

いいえ、退屈な会話ではなく、重要な交渉《こうしょう》。王妃に繰《く》りかえしいいきかせられているように、ひとり娘《むすめ》であるエルサは、来《きた》るべき時に備えて王位をつぐ準備をする必要があった。近ごろでは、きれいな字の書き方や科学を習うだけでなく、家庭教師から国政術《こくせいじゅつ》を教わったり、王の出席する会議に同席したりしていた。また、ひんぱんに城で開かれる晩餐会《ばんさんかい》に出られる年齢《ねんれい》にもなった。とことこと歩いていって客にあいさつし、食事は大人とはべつの部屋でとるような時はとっくのむかしにすぎさった。日々《ひび》の生活からさびしさは少しだけ減ったが、エルサはやはり、秘密《ひみつ》を打ちあけられるような同じ年ごろの子がそばにいてくれたらいいのに、と思っていた。もう、ずいぶん長いあいだ、自分よりずっと年上の人としかすごしていない。

「まったくもって、同感ですな！　だが、王女のようなすばらしいご息女《そくじょ》を閉《と》じこめておくのはもったいない」ウェーゼルトン公爵は、これだけはいわせてもらおうといわんばかりにテーブルをバンッとたたいた。動作がはげしかったので、かつらがぴょんと後ろにびっくりかえる。

「ご指摘《してき》ごもっともです、閣下《かっか》」ピーターセン卿《きょう》が会話に加わった。「王女はいまや、りっぱな若《わか》きレディです。これからますます公《おおやけ》の場《ば》に出ることになるでしょう」

エルサはピーターセン卿を見てほほえんだ。ピーターセン卿は王の親友だ。単に王国の顧問《こもん》というだけでなく、家族といってもいい。エルサはおさないころから、ピーターセン卿をほんとうのおじのように慕《した》っていた。やさしいピーターセン卿は、この日の晩餐会《ばんさんかい》が始まる前も、ウェーゼルトン公爵にはせんさく好きなところがあるから注意するように、と教えてくれていた。

「まさにそのとおり、りっぱな若きレディだ！」公爵がいった。「エルサ王女、フィヨルド[*2]のことはもちろん教わっておるだろうが、フィヨルドがどれほどの恩恵《おんけい》をもたらしてくれるかもご存《ぞん》じであろう」エルサはうなずいた。「ウェーゼルトン国で最初にフィヨルドを発見したのは、なんとわが先祖なのだ。そのおかげでわれわれは……」

公爵がだらだらとしゃべりつづけていると、ピーターセン卿がせきばらいをした。「閣下《かっか》、興味深《きょうみぶか》いお話を拝聴《はいちょう》できてありがたいのですが、会話はいったんおしまいにしませんか？　そろそろデザートが来るころだと思うのですが」公爵《こうしゃく》に口をはさむすきをあたえず、さっとルーデンバーグ氏のほうを向く。「デザートを召《め》しあがりますよね！」

そのとき、まるでタイミングをはかったかのように給仕《きゅうじ》が扉《とびら》を開け、フルーツなどのデザートがのった皿をもって入ってきて、テーブルの上にならべた。

「ウェーゼルトン国には、こういったデザートだけでなく、もっといろいろなデザートがあるのですぞ」公爵は甲高《かんだか》い声でまくしたてながら、ケーキをひと切れとクッキーを二枚《まい》手にとった。

エルサは、こんなふうに考えてしまうのはいけないことだとわかっていたが、「ウェーゼルトン」は「ウィーゼルタウン」と音の響《ひび》きが似ていると思った。ウェーゼルトン公爵にはどこかウィーゼル[*3]と似たところがある。エルサは王をちらりと見た。王もウェーゼルトンとウィーゼルタウンが似ていると気づいているだろうか。たとえ気づいていても、王ならそんなことを考えているなんて、おくびにも出さないだろう。王はいま、ルーデンバーグ夫人と会話をしている。ピーターセン卿はルーデンバーグ氏と、つぎはどんな作品をつくるのかという話をしていて、残っているのは、ウェーゼルトン公爵と王妃《おうひ》とエルサだけだ。

「王妃、ほんとうにすてきなご息女《そくじょ》をおもちですな」と公爵がいったので、エルサはさっきまで考えていたことを後ろめたく思った。「さぞかし、すばらしい女王になられるであろう」

「ありがとうございます」王妃がいった。「わたくしもそう思います」

「父と母という、いい教師がそばにいてくれますから」エルサは王妃を見てほほえんだ。「来《きた》るべき時に備えて、アレンデール王国を導いていく準備は順調に進んでいます」

公爵はしげしげとエルサを見た。「ええ、そうでしょうとも！　だが、王位継承者《けいしょうしゃ》がひとりしかおられないのは、まったくもって残念ですな。サザンアイルズ王国には、王位継承者の王子が十三人もいるのですぞ」

エルサは、いったら後悔《こうかい》することを口にしてしまわないよう、気持ちを落ち着かせるためにゴブレットをぎゅっとつかんだ。なぜか、ゴブレットが氷のように冷たい。「わたしは――」

王妃がエルサの言葉をさえぎった。「そんなにたくさんの王位継承者は必要ない、とエルサはいおうとしたのです」と落ち着いた声で答える。きっと前にも同じことをいわれたことがあるのかもしれない。「わたくしは、ひとりしか子どもを授からない定めでしたけれど、この世界はおどろきに満ちています」王妃はエルサを見た。その目は輝《かがや》いている。「ですから、娘《むすめ》にはすばらしい未来が待っていると信じていますわ」

エルサはしっかりした声が出るよう意識しながらこういった。「強い指導者がひとりいればじゅうぶんなはずです。そして、このわたしが、その強い指導者になるのです」

公爵《こうしゃく》が眉《まゆ》をひそめた。「そうだが、もし王女の身になにか起きたら――」

「わたくしたちには、アレンデール王国を明るい未来に導いていく心づもりがじゅうぶんにできていますわ、公爵。お約束します」王妃《おうひ》は笑みを浮《う》かべた。

公爵が頭をかくと、かつらが少しずれた。公爵はめがね越《ご》しに、王妃からエルサへ視線《しせん》をうつした。「ところで、王女もあと数年もすればお年ごろですな。求婚者《きゅうこんしゃ》がいてもおかしくない。わが国や、ほかの貿易相手国との縁組《えんぐ》みが成立すれば好都合《こうつごう》であろう」

エルサはひざの上のナプキンに目を落とした。頰《ほお》がかっと熱くなる。

王妃が口を開いた。「エルサには、結婚《けっこん》相手を見つける時間がまだたっぷりとあります。いまのところは、この王国のためにすべきことに集中してほしいと思っておりますの」

エルサにとっては、今朝、家庭教師から出された国政術《こくせいじゅつ》の宿題のほうが、結婚相手を見つけるよりもずっと差しせまった問題だった。「お気遣《きづか》いいただきありがとうございます。結婚相手が決まりましたら、真っ先に閣下《かっか》にお知らせします」エルサは皮肉でそういったのだが、公爵はエルサの返答を聞いて満足しているようだった。王妃がとがめるような視線《しせん》を向けたが、エルサはどうしてもいわずにはいられなかったのだ。

公爵がようやく帰っていき、ルーデンバーグ氏と家族が別れのあいさつをして大広間《おおひろま》をあとにすると、王と王妃とエルサは私室《ししつ》に向かった。

王妃がエルサにいった。「上手に立ちまわっていたわね。会話もすばらしかったわ。ウェーゼルトン公爵も、あなたの貿易交渉《こうしょう》に関する知識が豊富なことに感心していたようすだったし」

「まるで経験があるように、わたしがいろいろ知っていたからおどろいたみたいね」エルサはいった。肩《かた》がこわばっている。ひと晩《ばん》じゅう、王国という重みを肩に背負《せお》っていたかのように。頭も痛《いた》くなってきたし、早く自分の部屋にもどって静かに休みたかった。

「おまえを誇《ほこ》りに思う」といった王の顔は、その夜、初めて警戒《けいかい》をといたかのようにリラックスしている。王は王妃を見てほほえむと、その腕《うで》に手を置いた。

エルサはこんな両親を見るのが大好きだった。ふたりはまだとても愛し合っている。そんなふたりの関係をうらやましいと思わずにはいられなかった。

「エルサ、おまえはきっとすばらしい女王になる」王がほほえんだ。

「ありがとう、お父さま」エルサはそう答えたが、王がいったことについて深く考えたりしなかった。女王になるのは、ずっとずっと先のことだと思っていた。

＊1　脚《あし》と台がついた取っ手のないグラス
＊2　氷河が大地をけずり、そこに海水が入ってできた入り江
＊3　イタチの意味。ずるがしこいという意味もある

2 エルサ

「月曜はいつも、王国の民《たみ》を城に招き、わたしと王妃《おうひ》とで彼《かれ》らの申し出を聞いている。継続的《けいぞくてき》に話し合いの場をもちつづけることがなにより大切だ。おまえもピーターセン卿《きょう》といっしょに民に会い、彼らの話に耳をかたむけなさい。思いやりの気持ちをもって接し、わたしと王妃が旅からもどったら、民たちの意見をかならず伝えるように。そして火曜は……エルサ、聞いているのか？」

「ええ、お父さま」とエルサは答えたが、ほんとうは上《うわ》の空だった。

エルサは父といっしょに城の図書室にいて、父の一週間のスケジュールについて教えてもらっていた。だが、エルサは気もそぞろだった。おさないころから図書室で多くの時間をすごしてきたが、本にかこまれていると、心はいつもさまよってしまうのだった。薄暗《うすぐら》い図書室の棚《たな》には、床《ゆか》から天井までびっしりと本がならんでいる。父はいつも本を読んでいて、机《つくえ》にはたいてい数冊《さつ》の本が広げてある。その日、父が読んでいた本は、エルサが見たこともない文字で書かれていた。記号やトロール*4の絵もたくさんある。お父さまはどんな本を読んでいるのかしら。エルサは興味《きょうみ》を引かれたが、父にたずねはしなかった。

いまは、父と母が不在《ふざい》のあいだにするべきことを、きちんと把握《はあく》しなければならない。それこそが、父がいまなによりもエルサに望んでいることなのだから。父と母はあと数日したら外交の旅に出る。もどってくるのは早くて二週間後。ふたりがそんなに長いあいだ城を留守にしたことがこれまであっただろうか。エルサは不安だった。きっと、勉強に追われたり、父の代わりに民と会ったりして、いそがしい二週間になるだろう。でも、まだ旅立ちもしないうちから、父と母がいないと思うとさびしくてたまらなかった。

父はひざの上で指を組み、エルサを見てかすかにほほえんだ。「どうしたんだね、エルサ」

ふたりきりのときでも、父が王らしさを失うことはなかった。それは、勲章《くんしょう》がたくさんついた服を着たり、アレンデール王国の紋章《もんしょう》のメダルを首からさげたり、いつも王としてふさわしい服装《ふくそう》をしているせいだけではない。外国の高官と話すときであろうと、城で働く者に感謝の気持ちを伝えるときであろうと、父のふるまいはいつでも王らしいのだ。どんなときでも威厳《いげん》があり、主導権《しゅどうけん》をにぎっている。そんなふうにする必要がないときでさえ。たとえば、ひとり娘《むすめ》とチェスをしているときでも。エルサは自分を内気《うちき》だと感じることがよくあった。それがもともとの性格なのか、同じ年ごろの人とあまり会話をしたことがないからなのかは、自分でもよくわからなかった。ブロンズ像の除幕《じょまく》式のときも、おおぜいの人の前で話すのは気おくれした。でも、父が不安な顔をしているところなど見たことがない。あの自信は時とともに備わるものなのだろうか。

「なんでもありません」エルサはうそをついた。いま考えていたことを、ひとことで伝えるなんてとてもできない。

「そうか、だが、なにかあるだろう」父は椅子《いす》の背《せ》にもたれ、エルサをじっと見つめた。「その目を見ればわかる。考え事をしているとき、おまえはよくそんな目をするからな。イドゥナによくいわれるのだ。なにか考え事をしているとき、あなたはどこか遠くを見ているような目をすると。いまのおまえと同じように。やはり親子だな。おまえはわたしとよく似ている」

「ほんとうに？」エルサは、目にかかっていた見えないベールがとりはらわれたような気がした。

エルサは誇《ほこ》らしかった。お父さまとよく似ているなんて。エルサは母も、母とすごす時間も大好きだったが、母がなにを考えているのかわからないと感じることがよくあった。エルサの部屋に入ってきたとき、母がおかしなことをいい出し、ふとわれに返って、とちゅうでやめたりすることがあった。母はいつまでも消えない悲しみをかかえている。それがなんなのか、エルサはわからないでいた。

それだけじゃない。今日もひとりで出かけてしまった。もう何年ものあいだ、母は一か月おきに、まる一日、城を留守にする。エルサは母がどこに行っているのか見当《けんとう》もつかなかったし、父も母も教えてはくれなかった。エルサはもう、がまんできなかった。秘密《ひみつ》なんてうんざり。それで今朝、母が出かけるとき、とうとう勇気を出してきいてみた。わたしもお母さまについていっていい?と。母はおどろき、つぎにこまったような顔をし、最後にすまなそうな表情になりこういった。「あなたも連れていけたらどんなにいいかしら。けれど、どうしてもわたしひとりで行かなければならないの」母はエルサの頰《ほお》にふれたが、その目からは涙《なみだ》があふれていて、エルサはますます混乱《こんらん》した。「あなたも連れていけたらどんなにいいかしら」と母は繰《く》りかえしたが、けっきょくひとりで行ってしまった。

父とは、母とはまたちがう向き合い方がある。「たいしたことじゃないわ、お父さま。ほんとうよ」

父はなおもいった。「いや、なにかあるはずだ。なにを考えているのだ」

だって、もう十八歳《さい》なのに、ふたりに行ってほしくないなんて、はずかしくていえるわけがない。でも、心配なのはそれだけじゃない。ふたりが留守のあいだは、わたしがアレンデール王国を導いていかなければならないのだ。もちろん、対処《たいしょ》すべき重大なことが起きたら、ピーターセン卿《きょう》やほかの顧問《こもん》が助けてくれるだろう。でも、ふたりがいないあいだは、わたしが王国の代表だ。その責任が重くのしかかってくる。ふたりが帰ってくれば、すぐにこれまでどおりの毎日が繰《く》りかえされるだろう。けれど、今回の旅は、いつかは自分がこの王国を統治《とうち》していかなければならないという現実を、いやでもつきつけてくる。そう考えると、こわかった。

「エルサ?」

二週間もこの広い城にひとりきりだなんて、耐《た》えられる自信がない。「どうしても行かなければならないの?」エルサは思わずきいた。きかずにはいられなかった。

「おまえなら、わたしたちが留守のあいだうまくやれる。だから心配はいらない、エルサ」父は力強くいった。

そのとき、扉《とびら》をノックする音がした。「陛下《へいか》」侍従《じじゅう》のカイが入ってきた。カイはエルサが生まれる前からこの城で働いている。王国を取り仕切っているのが父だとすれば、城を取り仕切っているのはカイだといっていい。カイはなにがどこにあり、だれがどこにいるのかすべて把握《はあく》している。王と王妃《おうひ》の生活に欠かせない重要な人物なので、ふたりの寝室《しんしつ》のそばに部屋をあてがわれているくらいだ。カイはいつも着ている緑色のスーツのジャケットからほつれた糸をさりげなく引っぱった。「ウェーゼルトン公爵《こうしゃく》が、陛下にお目にかかりたいとお見えになっています」

「わかった。会議室で待っていてもらうよう伝えてくれ。用事をすませたらすぐに行く」

「かしこまりました、陛下」カイはエルサを見てほほえむと、図書室から出ていった。

父はエルサのほうを向いた。「もっと、いいたいことがあったのではないか」

あるけれど、短い時間でいえることじゃない。エルサは代わりにこういった。「王国の民《たみ》と会うときに、なにか食べ物を出したらいいんじゃないかと考えていたの。お父さまたちはいつもどうしてるの？　城まではるばるたずねてくるんだもの。元気の出るものを出したらよろこんでくれると思うの。どうかしら」

父は笑みを浮《う》かべた。「いいアイデアだな。わたしはおまえのつくるクルムカーケクッキー*5が大好物《だいこうぶつ》だ」

「わたしのつくるクッキー？」父のために焼いたのがいつだったか、エルサは思い出せなかった。「お父さまがほめてくれているのは、きっとオリーナがつくったクッキーよ。でも、お父さまがそういうなら、オリーナにたのんでみるわ」

オリーナは城の料理長で、厨房《ちゅうぼう》で働く人たちを取り仕切っている。エルサはおさないころ、よく厨房に忍《しの》びこんでは、オリーナといっしょにすごした。もう長いあいだそんなことはしていない。クッキーを焼いたことも覚えていなかった。

父は眉根《まゆね》をよせた。「そうか。とてもおいしかったんだがな。まあ、オリーナなら、民《たみ》のためにおいしいクッキーを焼いてくれるだろう」

エルサは立ちあがった。「ほかになにかありますか？　お父さま」

「ああ」父も腰《こし》をあげた。「旅に出る前に、わたしておきたいものがある。ついておいで」

エルサは父のあとについて両親の寝室《しんしつ》に行った。寝室に入ると、父は壁《かべ》ぎわにある本棚《ほんだな》まで歩いていき、一冊《さつ》の本の背《せ》を押《お》した。すると、壁ぜんたいが扉《とびら》のように動いた。その向こうに、薄暗《うすぐら》い小さな部屋がある。父は、いっしょにおいで、とはいわなかったので、エルサは父がその部屋に入っていくのを見まもった。城にはこんな秘密《ひみつ》の通路や部屋があちこちにある。おさないころは、この秘密の通路や部屋を使って父とよくかくれんぼをしたが、いまは、これがなんのためにつくられたのかわかっている。敵《てき》に侵略《しんりゃく》されたときに王家の者が安全に出入りするためだ。

しばらくすると、父が木製の緑色の箱をかかえて出てきた。大きさはベッドで朝食をとるときに使う脚《あし》つきのトレイくらいあり、ふたに金色と白でクロッカスを描《えが》いたローズマリング[*6]が施《ほど》されている。黄色いクロッカスはアレンデール王国の国花であり、ふたは美しいアーチ形だ。

「これをもっていてほしい」そういうと、父は箱をエルサの前のテーブルに置き、アーチ形のふたのてっぺんにエッチング[*7]された王家の金の紋章《もんしょう》を指でなぞった。それは、父がいつも机《つくえ》の上に置いていて、王国の顧問《こもん》と話すときに携《たずさ》えていく鍵《かぎ》のついた箱とそっくりだった。なかには署名《しょめい》が必要な重要な文書などのほかに、プライベートな書類や、民兵《みんぺい》や近隣《きんりん》の王国からの手紙などが入っている。この箱を勝手にさわってはいけない、とエルサは小さいころからいいふくめられていた。

「わたしに？」といい、エルサがためらいがちに鍵のついた箱に手をのばすと、父はうなずいた。箱のなかはからっぽだった。内側は濃《こ》い緑色のベルベットの布でおおわれている。

「この箱は、おまえが女王になったときのためにつくらせたものだ」と父がいい、エルサははっと顔をあげた。「つぎに王位をつぐのはおまえだし、あと数年で成人する。イドゥナとも相談して、そろそろわたしてもいいころだと決めたのだ」

「とてもきれいな箱ね、お父さま。けれど、わたしにはまだ早いわ」

父はやさしい声でいった。「いや。いつかはおまえが王位をつぐのだ。だからその心づもりをしていてほしい。カイや召《め》し使いたちは、この箱がなんだか知っているし、なかに入っているのは君主《くんしゅ》がほかの者の目にはふれさせたくないものだとわかっている。なにを入れようと、それを目にするのはおまえだけだ。おまえの秘密《ひみつ》は、この箱のなかで守られる。とりあえずいまは、自分の部屋に置いておけばいい」父は、わかったか、というふうにエルサを見つめた。

エルサは緑色のベルベットの布を指でなぞった。「ありがとう、お父さま」

父はエルサの手に自分の手を重ねた。「いまはまだ、そういう気持ちにはなれないかもしれないが、いつかおまえの人生が、思いもよらないほど大きく変わる日が来る」ためらいながらもこう続ける。「どうか約束してほしい。その日が来たとき、もしわたしがここにいなくて、導いてやれなくても――」

「お父さま――」

「約束してくれ。その日が来たら、この箱を見ると。きっと、この箱がおまえを導いてくれるだろう」

この箱がわたしを導いてくれる？　これは箱よ。美しいけれど、ただの箱なのに。でも、お父さまや歴代《れきだい》の王や女王が使っていたような箱を授けられるのは、わたしの人生にとって大きな一歩だ。「約束します、お父さま」

父はエルサの額《ひたい》にキスした。「どこか安全な場所にしまっておきなさい」

「はい、お父さま」エルサは箱をもちあげ、扉《とびら》のほうへ歩いていった。父がエルサの後ろすがたを見まもりながらついてくる。

エルサが廊下《ろうか》に出てふりかえると、父はほほえみ、仕事を片《かた》づけるために図書室にもどった。

エルサは箱を両腕《うで》にかかえながら、自分の部屋に向かった。空気はむっとして暑かったが、開かれた窓《まど》からそよ風にのって、村のいろいろな音が運ばれてくる。近くの窓により、前庭から城壁《じょうへき》の向こうに広がる世界をながめた。村はたくさんの人であふれ、何台もの馬車が行き交い活気に満ちている。城門のそばの、エルサたち家族のブロンズ像がある噴水《ふんすい》から空高く水がふきあがり、子どもたちが服を着たまま噴水に入って水浴《みずあ》びをしている。母親に噴水から引っぱり出されて、しかられている男の子もいる。しかられているのに、なんだか楽しそうだ。わたしがあんなにはしゃいだのは、いつだったろう？

お母さまがここにいて、いっしょにお茶をのめたらよかったのに。こんな口差しのふりそそぐ夏の午後、ひとりでいるのはさびしい。こんなに楽しげな光景が見られるというのに、お母さまはどこへ行ってしまったの？　どうしてわたしも連れていってくれなかったのだろう。

「なにか、おのみになりますか、エルサ王女」侍女《じじょ》のゲルダが通りすがりにきいた。「冷たい水はいかがでしょう。今日はほんとうに暑いですから！」

カイと同じく、ゲルダもエルサが生まれる前から城で働いている。ゲルダといると、エルサはいつも自分が大事にされていると思えた。ゲルダは冷たい水の入ったゴブレットをのせたトレイを運んでいるところだった。きっと父とウェーゼルトン公爵《こうしゃく》にもっていくにちがいない。

「ありがとう、ゲルダ。わたしはだいじょうぶよ」

ゲルダは早足で立ちさりながらいった。「わかりました。でも、できるだけ涼《すず》しくなさってくださいね。エルサ王女が暑さでたおれてしまわれては心配ですから」

エルサは箱をしっかりとかかえながら歩き出した。母がもどってくるまでのあいだ、なにかして時間をつぶさなければならない。ゲルダのいうとおり、なるべく涼しくしておいたほうがいいだろう。庭を散歩してもいいし、じっくりと本を読んでもいいかもしれない。目を通しておくように、と父からわたされた本が何冊《さつ》かある。アレンデール王国がほかの王国と交わした取り決めについて書かれた本だ。

将来《しょうらい》に向けて、こういったことになじんだほうがいいとわかってはいた。でも、いまはまだ、王国間の取り決めについて書かれた本を読んで知識を得ることなど、あまり楽しいとは思えなかった。自分の部屋の扉《とびら》を開けてなかに入り、子どものころから使っている机《つくえ》まで歩いていく。そして、机の上に箱を置いてしばらくながめた。なじんでいるほかのものといっしょにならんでいると、箱だけがその場にそぐわないように感じられる。

どんな大切な書類を入れる？　だれと手紙のやりとりをしよう？　いいえ、いまはまだ女王じゃないのだし、この箱は必要じゃない。叶《かな》うことなら、この箱を使うことになる日がずっと先になればいい。こういう特別な箱は外に出しておかないほうがいい。箱をホープチェスト[*8]があるところまでもっていった。ホープチェストのふたに描《えが》かれたエルサのE《Elsa》という文字を右手でなぞり、箱をなかに入れ、赤ちゃんだったころに母がつくってくれたキルトをかけ、ふたを閉《し》めた。そして、ナイトテーブル[*9]から本を一冊つかんだ。鍵《かぎ》のついた箱のことは、そのますぐにわすれてしまった。

＊4　北欧神話《ほくおうしんわ》で山や地中にすむといわれている巨人《きょじん》や小人《こびと》
＊5　焼いた生地《きじ》をラッパ状にまるめて粉砂糖《こなざとう》をふりかけたり、クリームをつめたりしたノルウェーの伝統的なお菓子《かし》
＊6　花のモチーフからなるノルウェーの伝統的な装飾《そうしょく》
＊7　ろうをぬった銅の板に針《はり》で絵や字をほりつけ、その線のくぼみに薬品を流し、銅をくさらせてつくる版画のつくり方
＊8　女の子が結婚《けっこん》準備のためのものをしまっておく収納箱《しゅうのうばこ》
＊9　ベッドのそばに置く小さいテーブル

3　エルサ

　扉《とびら》をノックする音が聞こえ、エルサははっと目を覚ました。日はだいぶかたむいて部屋は薄《うす》暗《ぐら》く、影《かげ》が壁《かべ》をじわじわとおおっている。本を読んでいるうちに眠《ねむ》ってしまったらしい。

　ゲルダが扉から顔をつき出した。「まあ、エルサ王女！　眠っていらしたんですね。起こすつもりなんてなかったんですよ。王と王妃《おうひ》のところへ伺《うかが》う前に、夕食の席にお連れしようと立ちよっただけなんです」

「だいじょうぶよ、もう起きていたから」そう答え、エルサは大きく伸《の》びをした。ふたりとも夕食の席に来るのなら、父とウェーゼルトン公爵《こうしゃく》との面談は終わり、母は帰ってきたということだ。「わたしが、お父さまとお母さまを呼《よ》びにいきましょうか」

　ゲルダはベッドまで歩いてくると、キルトのベッドカバーや枕《まくら》のしわをのばしはじめた。「そうしていただけますと助かります！」

　エルサの部屋の階下に両親の部屋があり、その階下に大広間《おおひろま》がある。夕食の席は大広間に用意されているはずだ。ゲルダがベッドをととのえているあいだに、エルサは部屋を出て階段《かいだん》をおりていった。両親の部屋のそばまで来ると、ふたりが言い争っている声が聞こえてきて足をとめた。お父さまとお母さまが言い争いをするなんて。エルサはとてもおどろき、扉の前で耳をすました。

「なにかできることがあるはずよ！　いつまでもこんな状態を続けるわけにはいかないわ！」

母の声だった。

「イドゥナ、何度も話し合って決めたことじゃないか。ほかに選択肢《せんたくし》はない。待つしかないんだ」父の声にはいらだちがまざっていた。

「もう待つのなんていや！　こんな状態のまま、ずっと暮《く》らしてるのよ！」

「魔法《まほう》なんだから、いつまで待てばいいとはっきり決められているわけではない。彼《かれ》もそういっていたじゃないか」

魔法？　魔法って、子どもが夢見る想像の世界のものでしょう？　おとぎ話なんかに出てくる。なぜ、お父さまとお母さまは、そんな現実には存在《そんざい》しないものについて話しているのかしら。

「あのときは混乱《こんらん》してたから、きちんと考えられなかったのよ。ふたりの運命を変えられるよう、もっと努力すべきだったわ。パビーにもう一度たのめば……」

「だめだ！　あそこにいるのを、だれかに見られるわけにはいかない。きみが繰《く》りかえし村に行くのだって危険《きけん》なんだ。行き先をだれかに知られたらどうするんだ？　だれに会いにいっているのか気づかれたら？　あの子をここへ連れてきたら、どうなるかわかっているだろう」

あの子？　だれのことを話しているのかしら。エルサはさらに聞き耳をたてた。村って、お母さまが出かけていく場所のこと？　なにを話しているのかさっぱりわからない。

「いつも細心《さいしん》の注意をはらってるわ。それに、あそこに行くのをやめるつもりはない。あの子に会いたくてたまらないのよ。あなただってそうでしょう」母は強い口調でいった。

「これしか方法はない。それはきみもわかっているはずだ。いつかは、魔法がとけるときが来る」

「もう十年もたつのに、魔法は弱まってないわ！　どうしてわたしたちばかり、こんな目にあわなければならないの。不公平よ。いちばんかわいそうなのはエルサよ」

エルサは耳をそばだてた。わたしがかわいそうって、どういうこと？

「エルサならだいじょうぶだ」

「だいじょうぶじゃないわ、アグナル。エルサはひとりでさびしいはずよ」

そうよ！　エルサはさけびたかった。わたしはひとりでさびしい。お母さまは、わたしの心の奥《おく》に秘《ひ》めた気持ちをわかってくれていたのね。うれしさのあまり、思わず声に出そうになる。けれど、わたしがさびしいことと、お父さまとお母さまの言い争いとがどう関係しているの？

「これから、もっとおおぜいの人にエルサを紹介《しょうかい》することになるだろう。ウェーゼルトン公《こう》爵《しゃく》が、エルサの結婚《けっこん》相手として会わせたい王子がいるといっていた。まだ公《おおやけ》の場《ば》に出るようになったばかりじゃないか。大事なのはエルサとあの子が安全だということ。ほかになにを望むというんだ?」

「自分にどんなことができるのか、エルサに教えるべきだわ、アグナル」

「しかるべき時が来たら、知ることになるだろう。だが、いまはまだ――」

「まだここにいらしたんですね、王女さま!」ゲルダが後ろから近づいてきて、エルサは肩《かた》をびくりとさせた。「大広間にいらっしゃらなかったので、どこに行ってしまわれたのかとさがしていたんですよ。夕食の支度《したく》がととのいました。王と王妃《おうひ》にはもうお伝えしましたか?」

「あの……」エルサの頬《ほお》がかっと熱くなった。父と母が廊下《ろうか》に出てきて、ゲルダからエルサに視線《しせん》をうつす。

母はエルサの額《ひたい》にキスした。「いつからここにいたの?」

「ちょうどいま来たところ。ゲルダとほとんどいっしょよ」エルサはうそをついた。

母はほっとした表情になった。「今日はひとりにしてごめんなさいね」エルサの腕《うで》に自分の腕をからませ、階段《かいだん》に向かって廊下を歩きはじめる。「今日はなにをしていたの?」

「いつもと同じよ」うそじゃない。でも、ふたりの話を聞いてしまったことはだまっていたほうがいい。大広間へ向かうとちゅう、両親はたわいのない話をしていたが、エルサは両親の話など聞いていなかった。ふたりの言い争いのことをずっと考えていた。そして、父がいっていたことを。

〝あの子をここへ連れてきたら、どうなるかわかっているだろう〟

エルサは考えずにはいられなかった。〝あの子〟ってだれだろうと。

4 アナ

アナはベッドのなかで、うとうとしていた。なんてぬくぬくとして居心地《いごこち》がいいんだろう。なのに、ドアをノックする音が聞こえてくる。よだれをふき、もう少しこうして寝《ね》ていようと思ったけれど、どうもそれは無理そうだった。だれかがドアをノックしつづけているのだ。

「アナ？」

そう呼《よ》ぶ声は小さくて、まるで風にのって遠くから運ばれてきたかのようだ。でも、そのあとのノックの音はドンドンドンと大きく耳に響《ひび》いた。「アナ？」

「ふわぁ、なに？」アナは口のなかに入っていたひと房《ふさ》の髪《かみ》を手でとりはらうと、むっくりと体を起こした。

「起こしてしまったようだな、すまない。だが……」

「ううん、いいのいいの」アナはあくびをした。目はまだ閉《と》じたままだ。「とっくに起きてたから」

いつもだったら、たしかにとっくに起きている時間だった。アナはいつも日の出前には起きて、両親がパンを焼くのを手伝う。母の名前をとってつけた〈トーマリーのパン屋〉という店では、毎日、たくさんのパンや焼き菓子《がし》をつくって売っている。でも、昨日の夜は、ずっと夢を見ていてよく眠《ねむ》れなかった。だれかを呼《よ》びつづけている夢だ。それがだれなのかわからなかったけれど、なぜだかなつかしさを覚える人だった。アナはまたうとうとしだした。

「アナ？」

フガッ。アナは自分の出した大きないびきにおどろいて、はっと目を開いた。「なに？」

「支度《したく》をしてくれ。今朝は、フレイヤが来ることになってるから」

「うん、わかってる」アナのまぶたが、またさがっていく。「フレイヤね」

えっ？　ちょっと待って。

アナの目が大きく開く。「フレイヤが来るの？」

アナはとぶようにしてベッドから出て、裸足《はだし》のまま床《ゆか》をすーっとすべった。鏡を見る時間さえもったいない。でも、昨日の夜は長い赤毛の三つ編みをほどいて寝《ね》てしまったから、髪《かみ》はくしゃくしゃかもしれない。うーん……やっぱり着がえる前に、ちょっとくらいは鏡を見ておいたほうがいいかも。さっと鏡をのぞきこむ。うっわあ、まるで鳥の巣みたい。

だけど、髪をとかしてたらおそくなっちゃう。

でも、やっぱりとかしたほうがいい。

ブラシはどこだっけ？

机《つくえ》の上に置いてあるはずだけど、見あたらない。もうっ、どこ？

思い出して、アナ。たしか昨日の朝は、窓辺《まどべ》の長椅子《ながいす》にすわって髪をとかしたはず。あそこからだとアレンデールを見わたせるから。窓の外をながめていると、アレンデールへのあこがれがつのり、いつかあそこで暮《く》らしてみたいという思いがふくらんでくる。そこでパン屋を開くのが夢だ。お手製のクッキーは大評判《だいひょうばん》になって、朝から晩《ばん》まで行列ができるにちがいない。新しい出会いがあって、友だちもできて、そうなったらどんなにいいだろう。そんなふうに想像しながら歌を歌い出し、ブラシをもったままくるくるっとおどって……そうだ！　ブラシを放りなげてしまったんだっけ。ひざをついてベッドの下をのぞきこみ、手をのばしてブラシをとると、髪をとかしながら部屋のなかを移動した。

衣装《いしょう》だんすと机とベッドには、同じ花の図柄《ずがら》のローズマリングが施《ほどこ》してある。母といっしょにひとつひとつ描《か》いたのだ。ピンクのキルトのベッドカバーも同じ柄。ゆり椅子《ロッキングチェア》は父がつくってくれたもので、よくここにすわり、白くてやわらかい毛布にくるまりながら本を読む。でも、いちばんのお気に入りは、十二歳《さい》の誕生日《たんじょうび》のプレゼントとして父がつくってくれた、木製のアレンデール城の模型《もけい》。窓辺の長椅子にかざって、朝な夕なにながめている。ピンクの壁紙《かべがみ》の部屋は広くはなかったけれど、アナはこの部屋が大好きだった。

衣装《いしょう》だんすの扉《とびら》には、紺青色《ロイヤルブルー》の生地《きじ》に赤と緑の刺《し》しゅうがしてある新品のエプロンがかかっている。母がアナのために縫《ぬ》ってくれたもので、今度フレイヤが来たときに身につけようと、使わないでとっておいたのだ。そして今日、そのフレイヤが来る！

両親はパン屋の仕事でいそがしく、客を家に招くことはあまりなかったけれど、母はいつもフレイヤと会うための時間をつくっていた。フレイヤは母の親友だ。ふたりはおさないころからの友だちで、いっしょにすごす時間を大切にしている。アレンデールでお針子《はりこ》をしているフレイヤは、たいてい一か月おきに、このハーモン村のアナの家をおとずれる。そして、お菓子を焼いたりおしゃべりしたりしながら、アナと母と一日すごすのだ。

アナは、フレイヤからアレンデールの話を聞くのが大好きだ。それに、なんといっても楽しみなのは、フレイヤがもってきてくれるプレゼント！　磁器《じき》の人形や口に入れると氷のようにとけるブラックチョコレート、それに外国製の緑色のシルクのパーティードレス。パーティードレスは二年間、衣装だんすにかかったままだ。小麦粉とバターで服がよごれる毎日では、ドレスを着る機会なんかない。そんなすてきなドレスは、シャンデリアが輝《かがや》く部屋でダンスしたり、おしゃべりしたりするパーティーにこそふさわしい。ハーモン村でもパーティーは開かれるけれど、この村には十五歳《さい》の子は自分をふくめてわずかしかいない。アレンデールには、この村よりもっとたくさんの若《わか》い人がいるはずだ。

アナは白いブラウスと緑色のジャンパースカートを着て、その上から新品のエプロンをつけた。もう一度髪《かみ》をとかして、からまった髪をぐいっとのばす。

そのとき、またドアをノックする音がした。「アナ!」

「いま行く!」窓《まど》の向こうに、のぼりはじめた太陽が見える。フレイヤが来る前に、こまごまとした仕事を片《かた》づけてしまわなきゃ。フレイヤがおくれたことは一度もないけれど、アナはすぐにいろいろなことに気が散ってしまい、どんなに時間を守ろうとがんばっても、少しおくれてしまうことが多かった。

床《ゆか》に置いてある靴《くつ》をつかみ、とぶようにしてドアに向かい、そのあいだに靴もはく。ドアを開けたとたん、勢いあまってドアのそばでしんぼう強く待っていた父ヨハンとぶつかりそうになった。

「父さん!」アナは父に抱《だ》きついた。「ごめんなさい!」

「だいじょうぶだよ」そういって、父はアナの背中《せなか》をぽんぽんとたたいた。

父はまるまるとした体型で、娘《むすめ》のアナよりも背が低い。いつもミントのにおいがするのは、しょっちゅうミントの葉をかんでいるからだ（胃《い》の調子が悪い日が多いので、むかつきをおさえるため）。アナが物心《ものごころ》ついたときからはげているけれど、その頭は父によく似合っていた。

「フレイヤが来るって、どうしてもっと早く教えてくれなかったの？」アナは、くしゃくしゃの髪《かみ》をなんとかまっすぐにのばそうと、手でとかしながらきいた。

父のまるまるとしたおなかから、くっくっと深い笑い声がわきあがってきた（そんなにおなかがまるいのは、味見《あじみ》と称《しょう》して売るのと同じくらいたくさんのクッキーを食べているからだ）。

「アナ、先週から毎日いってるし、昨日の夜だって、母さんといっしょに二回は伝えたはずだぞ」

「あっ、そうだったかも！」とアナは答えたが、正直なところよく覚えていなかった。昨日、アナはおおいそがしだった。〈オーケンの店〉に双子《ふたご》の誕生日《たんじょうび》用のケーキをふたつとどけ（アナが、ひとりにひとつずつケーキがあったほうがいいですよ、とすすめた）、村の集会所へクルムカーケクッキーをもっていき、客の要望にこたえて店の人気商品の雪だるまのクッキーも追加で手早く焼いた。このクッキーは子どもたちのお気に入りで、夏でもよく売れるのだ。

フレイヤも雪だるまのクッキーが大好きで、いつもおみやげ用に十枚くらいはもってかえる。フレイヤにわたすための雪だるまのクッキーは、まだ残ってたかな。アナは心配になった。

「母さんを手伝わなきゃ」と父にいい、アナは大急ぎで階段《かいだん》をおりた。居心地のいい居間《いま》と小さな台所を駆《か》けぬけ、パン屋につながっているドアを開けた。茶色の髪の背《せ》の低い母が、すでに作業場の木のテーブルの前に立って、ボウルに入った小麦粉と卵《たまご》をまぜている。母はアナを見てほほえんだ。

「そろそろ、おりてくるころだと思ったよ」母はアナの頬《ほお》にキスすると、ほつれた髪をアナの右耳にかけ、エプロンのしわをのばしてくれた。フレイヤが来るとき、母はいつもアナがきちんとした格好《かっこう》をしているように気をつかう。

「おそくなってごめんなさい」そういうと、アナはくるりと向きを変え、店の棚《たな》にならんだ売り物用のパンや焼き菓子をチェックしにいった。心配していたとおり、雪だるまのクッキーのトレイはからっぽだ。「雪だるまのクッキーがない！　フレイヤの大好物《だいこうぶつ》なのに」

「生地《きじ》はもう用意してあるから」母の茶色の目には疲労《ひろう》の色が見えた。

年を追うごとに、こんなふうにパン屋で長時間働くことが母にはつらくなってきているようだった。アナは勉強のあいまに店の仕事をできるだけ手伝うようにしているが、両親は勉強もおろそかにしないように、と強くいうのだった。学校が長期の休みのときでさえそうで、父はアナにいつもこういう。「富はやってきては去っていくものだが、勉強して得たことは一生の財産になる」と。父のいいたいことはアナにもわかる。でも、父のいうことにしたがおうとすると、アナの毎日はけっきょくこんなふうになってしまうのだった。早起きしてパンやクッキーを焼き、家事をして、学校へ行くか、もしくは家で読書や作文や数学に取り組み、パン屋で働き、夜はベッドにたおれこむ。つぎの日も朝から晩《ばん》まで同じことの繰《く》りかえし。友だちと会う時間なんてほとんどない。だから、アナはフレイヤが来るのが待ち遠しい。ハーモン村の向こうに広がる世界をかいま見られるような気がするのだ。

「今日は、フレイヤといっしょに焼いてみるのもいいんじゃないかい？」母がいった。

「すてき！」アナは指で生地《きじ》をすくいとって、ぺろりとなめた。母が計量スプーンでアナの手を軽くたたく。「ごめんなさい！　だけど、母さんはいつもいってるでしょ。料理をする人は自分のつくるものを味見《あじみ》したほうがいいって」

母はくすくすと笑った。「ほんと、なにをするかわからないんだから。アナからは目がはなせないね」

アナは母の頰《ほお》にキスした。「それって、いいことでしょう？　あたしのいない生活なんて想像できる？　母さん」

母は生地をまぜていた手をとめて、アナを見た。顔から笑みが消えている。母はアナのあごにそっとふれた。「いいえ、できない。だけど、いつかはその日が来るんだよ。かならずね」

アナはなんと答えていいのかわからなかった。母からこんなふうにいわれると、いつも胸《むね》が痛《いた》む。だから、なかなかいい出せずにいるのだった。十八歳《さい》になったらハーモン村をはなれてアレンデールに行きたいと。ハーモン村も、村の人たちも大好きだけれど、この村はほかの村とくらべてせまい。世界はもっと広いのだ。王家の人たちが住んでいる城やその周辺がどんなところなのか、知りたくてたまらなかった。

「アナ、お茶の葉が足りてるか確認《かくにん》しておくれ」母がいった。

アナはお茶をしまってある棚《たな》を見た。「あれ、ない。どれも切らしてる」

「だったら急いで食料雑貨店まで行って、買ってきてもらおうかね」母は計量スプーンで砂糖《さとう》をはかってボウルに入れた。「フレイヤが来るときは、お茶は欠かせないから。遠くからはるばる来てくれるんだし。ほかにあったらいいと思うものはあるかい？」

ここをおとずれるとき、フレイヤはいつも朝早く家を発《た》つ。夜明け前にはアレンデールを出るから、朝食を食べていないことが多い。「母さん、フレイヤは卵《たまご》が好きだったよね？」

母はほほえんだ。「いいアイデアだね」

アナは母が最後までいいおわらないうちに靴《くつ》からブーツにはきかえると、ドアのそばのスミレ色のケープを羽織《はお》ってバッグを肩《かた》にかけた。「すぐにもどるね」

「アナったら、そういいながら、すぐにもどってきたことなんてないじゃないか」母はくすくすと笑った。

「だいじょうぶ。今日は寄り道しないから」アナはドアを開け、玄関《げんかん》の階段《かいだん》のそばに置いてあるバスケットをつかんで通りに出た。まず、お茶を買いに食料雑貨店に行って、そのあと卵《たまご》を分けてもらいに少し遠くの農場へ行こう。空は遠くに見える海のように青く、日差しは強いけれど空気はさわやかだ。山の暮《く》らしのいいところは、アレンデールみたいに暑くないところだ、と何度も聞かされたことがある。山はアレンデールよりずっと涼《すず》しいし、ここではもっと落ち着いて暮らせると。山のはるか下のほうに広がるアレンデールに目を凝《こ》らす。いまこの瞬間《しゅんかん》、あそこで暮らしている人たちはなにをしているんだろう。そのとき、だれかの声が聞こえて、ぴたりと足をとめた。そのひょうしに手にもったバスケットが大きくゆれる。

「なにがほしいんだ？　スヴェン」

聞きなれない声だった。アナは人と話すのが大好きだ。だから、アナは花から花へとびうつる蝶《ちょう》のように社交的だ、と母はいい、アナのあいさつ好きはハーモン村のだれもがみとめるところだ、と父はいう。この村は住人があまり多くなく、家はどれもアレンデールを見わたせる山腹《さんぷく》に、房《ふさ》のようにかたまってたっているだけだ。家はそれぞれ、緑、青、赤などあざやかな色をしていて、パン屋のアナの家はオレンジ色。アナは、この村の住人ならひとり残らず知っている。この声の主《ぬし》はこの村の住人じゃない。

「おやつくれよお！」また声が聞こえた。さっきよりも声が低くなっている。

だれだろう、とアナが食料雑貨店へ続く通りの角《かど》を曲がってみると、アナと同じくらいの年の少年が近くに立っていた。そばには荷車につながれた大きなトナカイがいて、荷車には大きな氷のかたまりが積んである。村の学校には、いろいろな年齢《ねんれい》の男の子や女の子が通っているけれど、この少年を学校で見かけたことはなかった。〈オーケンの店〉のオーケンは山の上のほうに住んでいて、双子《ふたご》の子どもたちはめったに村におりてこない。でも、この少年はどう見ても双子のどちらかじゃない。目の前にいる少年はぼさぼさの金髪《きんぱつ》で、濃《こ》い青のシャツの袖《そで》をまくり、黒いズボンとベージュのブーツをはいている。それはともかく、なんといっても気になるのは、この少年はどうやらトナカイに話しかけているらしい、ということだ。

「人にものをたのむときは、なんていうんだっけ？」少年はトナカイにいった。

少年とトナカイのそばを、野菜の入ったかごをもった男たちがせかせかと歩いていく。食料雑貨店にもっていって売るのだろう。アナが見ている前で、少年は男のかごからひと束《たば》のニンジンをさっととると、そのうちの一本をトナカイの鼻先にぶらさげた。

「ください、お願いします！」少年はまた低い声でいった。こんなふうにトナカイになりきって声を出し、ひとり二役《ふたやく》で会話しているのだ。

トナカイが鼻先でゆれているニンジンにかぶりつく。

と、そこで少年はニンジンをぐいっと引っぱった。「おっと、半分こな！」といい、残りのニンジンをかみ切ってふたつに分け、半分だけトナカイにあげる。

いったいなんなの？　でも、おもしろい。トナカイと会話するなんて。へんなの。アナは思わずくすくすと笑ってしまった。少年がびっくりして顔をあげ、ふたりの目と目が合う。

アナははっと息をのんだ。あいさつしたほうがいい？　それとも逃《に》げる？　でも、同じくらいの年の子と知り合うせっかくのチャンスだ。たとえそれがニンジンどろぼうだとしても。よし、あいさつしよう。アナは足を前にふみ出した。

そのとき、丸石敷《じ》きの道を駆《か》けてくる大きなひづめの音がして、アナは後ろにとびのいた。一台の荷馬車がアナの前できしむような音をたててとまり、男たちが手早く野菜をおろして食料雑貨店に運びはじめる。

そうだ、お茶の葉と卵《たまご》がいるんだった！　もう、あたしったら、またよけいなことに気をとられて。すぐにもどるって母さんと約束したのに。あの少年には、食料雑貨店に行くとちゅうでちょっとあいさつすればいい。少年をさがしながら馬車と馬車のあいだを歩いていく。でも、少年のすがたはもうどこにもなかった。

けっきょく、知り合う運命じゃなかったってことね、とため息をつく。さあ、いつまでもこんなところでぐずぐずしていられない。急いで食料雑貨店に入り、お茶の葉を買ってバッグにしまうと、からのバスケットを手に通りを駆《か》け出した。靴屋《くつや》のアーガードの奥《おく》さんが、階段《かいだん》をほうきではいている。

「おはようございます、アーガードさん！」アナはあいさつした。

「おはよう、アナ！　昨日はパンをありがとう」

「どういたしまして」アナは通りにならぶ家の前を走りぬけて農場に着くと、ニワトリ小屋へ急いだ。金網《かなあみ》を張ったドアを開けて、新鮮《しんせん》な卵を集めはじめる。アナはめんどりたちにもあいさつした。「おはよう、エリック、エリン、エリース。今日は急いで帰らないといけないの。フレイヤが来るから！」十個くらい集めると、ニワトリ小屋のドアを閉《し》め、卵を入れたバスケットを注意深くもって家に向かった。

とちゅうで花を積んだ荷車を引くおじいさんに会った。「おはよう、アナ！」

「おはようございます、アーリングさん。今日の花も、どれもきれいね。あたしの好きな花はある？」

おじいさんは黄色いクロッカスを二本差し出した。まるで太陽のように輝《かがや》いている。アナは花のあまい香りをすいこんだ。「ありがとう！　あとで、焼きたてのパンをもっていくね。最初のパンが九時か十時くらいには焼きあがるから」

「ありがとう、アナ！　楽しみにしてるよ」おじいさんはほほえんだ。アナは卵を割《わ》らないよう、また足をとめてしまわないよう気をつけながら先を急いだ。あたしったら、つい立ちどまっておしゃべりしちゃうから。それもしょっちゅう。

「母さん！　ほら、卵とお茶よ！　フレイヤはもう来た？」アナはそういいながらドアを開けた。ドアが閉《し》まりきる前に、馬車が一台、家の前にとまった。フレイヤをのせた馬車だった。

5 アナ

　アナはあたふたしながら、母といっしょに玄関《げんかん》でフレイヤを出むかえた。母の親友のフレイヤは、いつも馬車にのってやってくる。男の御者《ぎょしゃ》がふたりいて、ふたりともフレイヤの訪問《ほうもん》が終わるまで待っている。夫も娘《むすめ》もつきそわずに出かけるときは、信頼《しんらい》できる御者がいたほうが安心だからだ。前に一度、フレイヤがそう説明してくれたことがある。

　フレイヤはフードのついた黒いマントを身につけていた。御者に手を貸してもらいながら馬車からおりると、さっと店なかに入ってドアを閉《し》め、フードを外した。

「トーマリー！」フレイヤが心のこもった声でいい、親友を抱《だ》きしめた。ふたりはこうして会うとき、いつも長いあいだ抱き合っている。アナが、あたしの番はまわってこないかも、と心配になるほどだ。

　母がいうには、アナが赤ちゃんのころ、この家の養女になったとき、最初に会いに来てくれたのはフレイヤだったらしい。アナはもう何年にもわたってフレイヤと多くの時間をすごしてきたので、フレイヤをほんとうのおばのように慕《した》っていた。フレイヤと会えない人生なんて想像もできなかった。

ようやく母からはなれると、フレイヤはアナを見た。その顔はよろこびにあふれている。「アナ」とやさしくいい、腕《うで》を広げた。

フレイヤはいつも、紫《むらさき》のヘザーの花のようなあまいにおいがする。アナはフレイヤの腕にとびこみ、ぎゅっと抱きしめた。そうせずにはいられないのだ。「会えてうれしい！」

フレイヤは体をはなすと、アナの両肩《りょうかた》に手を置き、じっと見つめた。「また背《せ》がのびたんじゃない？　ねえ、トーマリー、そうよね？　まちがいないわ！」

「のびたかなあ」とアナがいうと、ふたりは笑った。「二か月前と同じよ。たぶん」

「でも、なんだか背が高くなった気がするわ」フレイヤはそう繰《く》りかえし、黒いマントをドアのそばにかけた。ボンネット帽《ぼう》を外すと、濃《こ》い茶色の美しい髪《かみ》があらわになった。アナはフレイヤが着てくるワンピースが大好きだ。今日は深緑のワンピースで、黄色と青のリボンの縁《ふち》どりがしてあり、赤い花の刺《し》しゅうもある。きっと、フレイヤが自分でつくったんだろう。お針《はり》子《こ》のフレイヤは、いつもアナに新品のワンピースをもってきてくれる。「背が高くなったと感じるのは、きっと、大人に近づいているからかもしれないわね」

「だって、もう十五歳《さい》だもの」アナは得意げにいった。

フレイヤはやさしくほほえんだ。「そうね。もうりっぱなレディといっていいわね」そういってアナの母を見る。「ほんとうに、いい娘《むすめ》さんに育ってるわね」

母がフレイヤの手をとると、ふたりは感極《かんきわ》まったふうに見つめ合った。「そういってもらえて光栄だよ。アナはこの世でいちばんすばらしい贈《おく》り物だからね」

「母さんたら」アナは、もう大げさなんだからというふうに目をくるりとまわしてみせた。アナはこんなふうに母が感傷的《かんしょうてき》になるのが好きじゃなかった。母とフレイヤは、会うといつもまるで泣き出さんばかりになる。

「つい……すまなかったね」母はばたばたとテーブルの上を片《かた》づけ出した。「おなかがすいてるだろう。アナがフレイヤのために朝食をつくりたいって」

「母さんと父さんの分もつくるから」と母にいうと、アナはフレイヤのほうを向いた。「ふたりともいそがしくてまだ食べてないの」フレイヤが母のとなりに腰《こし》かける。アナはフライパンをあたためて卵《たまご》を割《わ》りいれた。

「パン屋はどう？　うまくいってる？」フレイヤが母にきいた。

「まあ、この仕事は好きだし。それに、アナが考え出した新商品のおかげで売りあげものびてるんだよ。注文も入ってくるし」

フレイヤはアナのほうを向いた。「アナ、夏休みのあいだ、家での勉強は進んでる？」

「うん、まあまあ」というと、アナは卵をかきまぜながらため息をついた。「でも、あたしは学校で勉強するほうがいい。たくさんの人に会うのが大好きだし。母さんとふたりきりで勉強してても楽しくないんだもの。あっ、母さん、気を悪くしないでね」

フレイヤは母と小さく笑みを交わした。「そうなのね。けれど勉強は大切よ。とくに歴史と科学」

フレイヤはいつも、アナがいまなにに興味《きょうみ》があるのか知りたがる。気にかけてもらえるのはうれしいけれど、アナがいちばん興味があるのは、フレイヤがどんな生活をしているかだ。「ねえ、山のふもとの暮《く》らしってどんなふう？　アレンデールってどんなところ？　お祭りとかパーティーとかあるの？　城で王と王妃《おうひ》に会ったことはある？　それと王女にも」

フレイヤの顔が凍《こお》りついたようになり、アナは、なにかいけないことをいってしまったんだろうかと心配になった。

母がアナの手をぽんぽんとたたいた。「フレイヤは長い時間、馬車にゆられてつかれてるんだよ。質問はあとにしたらどう？　さあ、朝食を食べて、そのあとはクッキーを焼こうかね」

アナはうなずいた。

朝食がすんだあとのこと。アナも母もフレイヤも全身粉まみれになっていた。

「アナ、そんなにたくさん粉を使わなくてもいいだろう?」母が、もうもうと煙《けむ》る小麦粉を手ではらいながらいった。

「だって、生地《きじ》がべたつくのがいやなの」アナは作業台にするために天板の折りたたみ式の補《ほ》助《じょ》板を広げた木のテーブルに、さらに小麦粉をふった。小麦粉が大好きで、いつも気前よく使うのだが、そうすると掃除《そうじ》がたいへんになってしまうのだった。

パン屋の作業場はあまり広くはない。それに窓《まど》はずっと上のほう、天井の梁《はり》の近くにいくつかあるだけなので、なかは薄暗《うすぐら》く、計量するときは、いつも目を細めなければならなかった。壁《かべ》には計量スプーンや鍋《なべ》がかかっていて、部屋の真ん中に大きな木のテーブルが置いてある。ここで毎日、アナは母といっしょに、パンやシナモンロールやアナが考え出した人気商品のクッキーをつくっている。部屋の大部分を占領《せんりょう》している鋳鉄製《ちゅうてつせい》のオーブンは、見た目が美しいだけでなく機能性《きのうせい》も高い。アナはこのオーブンを使いこんでいて、そのくせをよく知っている。腕《うで》に小さなやけどのあとがいくつかあるのは、しょっちゅうつまずいてオーブンにぶつかってしまうせいもあるけれど、オーブンにパン生地を入れたり、焼きあがったパンを出したりしているときに、うっかりふれてしまうことがあるからだ。両親は口をそろえてこういってくれる。オーブンがどれくらいの温度になればパンがふんわりと焼きあがるのか、いちばんよくわかっているのはアナだね、と。パンをつくるときは少しよごれるけれど、アナはそれがちっともいやじゃなかった。

アナが粉をふるいにかけると粉が空中に舞《ま》い、フレイヤがくしゃみをした。「ごめんなさい！」「だいじょうぶよ」と答え、フレイヤはハンカチをとり出した。そのハンカチには、アレンデール王国の紋章《もんしょう》が刺《し》しゅうしてあった。

アナは大きな生地《きじ》のかたまりをテーブルにたたきつけると、さらに粉をつかんだ。「粉がふわふわと落ちてくるのを見るのが大好きなの。だって雪みたいだから」

フレイヤの青い目に影《かげ》が差した。「雪が好きなの？」

アナは生地に粉をまぶし、使い慣れたのし棒《ぼう》で平らにしはじめた。「もちろん！　だって山では雪がたくさん降《ふ》るでしょ。スケートしたり、雪遊びをしたり、かわいい雪だるまをつくったりするのが大好きなの」

「アナのお手製のクッキーのなかでも、いまつくってるクッキーがいちばん好きよ」フレイヤはテーブルに置いてある、雪だるまの形をしたブリキのクッキーの抜《ぬ》き型をいとおしそうに見つめた。「この雪だるまのクッキーは、いつからつくりはじめたのだったかしら？　去年？」

「そう」アナはクッキーの抜き型をつかんだ。「なぜだか、この雪だるまを知ってるような気がするの。知ってるっていうか、前にどこかで会ったことがあるみたいな」

「どうしてそう思うの？」フレイヤがきいた。

アナの心の目に映《うつ》る雪だるまは、いつもこんなすがただ。大きな雪玉の上に小さな雪玉がのっていて、さらにその上に卵《たまご》のような形をした頭がのっかっている。真ん中の小さい雪玉の両側から腕《うで》のように細い枝がつき出ていて、ニンジンでできた鼻と胴体《どうたい》に三つついている石炭のボタンがかわいらしい。表面についた霜《しも》がきらきらしていて、無邪気《むじゃき》で人なつこそうだ。「夢に何度も出てくるの。それでこの雪だるまの絵をしょっちゅう描《か》いてたら、父さんが、その絵の雪だるまに似たクッキーの抜き型をつくってあげるよって。いまは毎日たくさんのクッキーを焼くようになったから、父さんも抜き型を追加でつくらないといけなくなったのよ。昨日も雪だるまのクッキーは売り切れだったの。夏なのに、こんなにたくさんの人が雪だるまのクッキーを食べたがるなんて、ほんとびっくり！」

フレイヤはほほえんだ。「雪だるまのクッキーをつくるお手伝いができてうれしいわ。それに、あなたが作業するのを見てるのも楽しいし。トーマリーのいうとおりね。アナにはお菓子《かし》やパンをつくる才能があるわ」

「このクッキーのレシピは、アナが自分で考えたんだよ」母が誇《ほこ》らしげにいった。

「アナが自分で？」フレイヤがきいた。

アナはうなずいた。「いろいろためしてみるのが好きなの。それに、母さんのパンやお菓子づくりへの愛情を受けついだんだと思う」

「そうね」フレイヤは、アナが雪だるまの形をした生地《きじ》をナイフでそっともちあげ、オーブンの天板に置くのを見まもった。

アナは顔をあげた。「そうだ。シルプスカーケ*10を気に入ってもらえたか、まだ教えてもらってなかった」

「大好評《だいこうひょう》だったわよ！」フレイヤが笑顔で答えた。「あなたのお――わたしの夫が、また焼いてもらって食べたいといっていたわ」

フレイヤは、しょっちゅうこんなふうにいいまちがいをする。アナもそうだ。アナの場合はいいたいことがありすぎて、それを一気にいおうとするのでそうなってしまうのだけれど。アナはチョコレートファウンテンのチョコのように、言葉があとからあとからあふれ出てしまうのだ。

「上にかざった砂糖漬《さとうづ》けのオレンジも気に入ってくれた？」

「ええ！　こんなふうに飾《かざ》りつけしてあるのは初めて見たといっていたわ」

アナは照れくさそうに肩《かた》をすくめた。「レシピに自分なりにひと工夫《くふう》、加えるようにしてるの。気づいてくれてるかもしれないけど、あたしってほら、ユニークなのが好きだから」

フレイヤはほほえんだ。「もちろん気づいているわ。あなたと会えたら夫もよろこぶでしょうね。わたしは、あなたと同じように明るく陽気な性格だけど、夫は……」ため息をついてこう続ける。「……世界中のあらゆる問題を肩に背負《せお》っているみたいな性格なのよ。娘《むすめ》も夫とよく似ているわ」

フレイヤは自分の娘の話をよくするのだが、残念なことに、ここに連れてきたことは一度もない。話に聞くかぎりでは、フレイヤの娘は聡明《そうめい》でまじめな性格のようだった。もし会えたら、あたしがフレイヤのお嬢《じょう》さんを楽しませてあげるのに、とアナはいつも思っていた。だれにでも、時には息ぬきが必要だ。それに、同じ年ごろの友だちをもてたらどんなにいいだろう。

作業場の時計が鳴り、アナは顔をあげて時計を見た。そろそろ、最初にオーブンに入れたクッキーが焼きあがるころだ。とり出したら、クッキーの生地をのせたべつの天板を入れて、そのあとは、四種類のパンとクルムカーケクッキーを焼く（クルムカーケクッキーにクリームをつめるのは冷めてからだ）。それと、スパイスケーキをふたつは焼きたい。母は売れのこるかもしれないのでケーキを焼くのはあまり気が進まないようだった（売れのこったら材料費がむだになるから）。でもアナは、村の人がケーキを食べたがっているのを知っていたし、それで売れたら儲《もう》けが出るのだから、どちらにとってもいいことずくめだ、と思っていた。

母がフレイヤにいった。「アナのことは心配しないよう、だんなさんに伝えておくれ。だいじょうぶ、なるようになるさ」

「ええ、そうね。夫もそう思ってるはずよ。けれどトーマリー、ときどき、未来がとても遠くに感じられることがあるのよ」

アナが口をはさんだ。「フレイヤ、いまを大切にすごそうよ。あたしとこうして作業してるのはとっても楽しいでしょ」

フレイヤが笑った。「アナのいうとおりね。わたしたちはとても恵《めぐ》まれてるわ。感謝しないとね」

アナは焼きあがったクッキーを冷まそうと、オーブンからとり出した。うっすらと茶色く焼き色がついていて、ちょうどいい焼き加減《かげん》。アナがクッキーをとり出すタイミングは、いつも完璧《かんぺき》だ。

「そうそう、わすれるところだったわ……」フレイヤがもってきたバスケットから包みをとり出して広げた。なかに入っていたのは、アナの大好物《だいこうぶつ》のブラックチョコレートだ。大きなかたまりがいくつもある。アナがこれまでに見たなかでいちばん色が濃《こ》くて、分厚《ぶあつ》かった。

アナはチョコレートのひとつを鼻先にもちあげた。なんていい香りなんだろう。「ありがとう！　つぎにフレイヤが来るときまで、少しずつ大事に食べるね。一気に食べたくなっちゃうかもしれないけど」

フレイヤは笑った。「ええ、わかったわ。今度来るときは、外国のチョコレートをもってこられるはずよ。これから二週間、夫といっしょに旅に出ることになってるから」

「旅？」クッキーの生地《きじ》をのせた天板をオーブンに入れていたアナの目が輝《かがや》いた。「どこへ行くの？　なににのっていくの？　お嬢《じょう》さんも連れていく？　お嬢さんも旅が好き？　なにを着ていくの？」

フレイヤがふたたび笑い出す。「まあ、ずいぶんたくさんの質問ね！」

母が首を横にふった。「いつものことながら、アナのおしゃべりはとまらないね」

アナはにっこりした。「だって、きかずにはいられないんだもの」

「わたしと夫とふたりだけで行くのよ。娘《むすめ》はお留守番なの。残って……やってほしいことがあるから」フレイヤはどう伝えればいいのか言葉をさがすようにしながらこう続けた。「長旅だし、わたしたちが留守にしているあいだに、こまごまとした用事を代わりにしてくれる人がいると助かるのよ。娘はあなたより三歳《さい》年上だし、もう大人といってもいい年齢《ねんれい》だから」

アナは飾《かざ》りつけ用にアイシングをつくろうと、卵白《らんぱく》に粉砂糖《こなざとう》を入れてかきまぜはじめた。「旅なんて行ったことない。この山をおりたことさえないんだもの」

「そうだったわね」フレイヤがなにかを考えているような顔でアナの母をちらりと見た。「アナがアレンデールに来られたら、どんなにいいかしら」

アナはスプーンをぼとりとアイシングのなかに落とした。「行ってもいいの？　だったらクッキーをもっていく。お嬢さんはなにが好きかな。雪だるまのクッキー？　フレイヤのだんなさんがスパイスケーキを好きなのは知ってるけど……」

母が話に割《わ》りこんだ。「アナ、落ち着きなさい」

フレイヤはだまったまま考えこんでいるようだったが、やがて口を開いた。「アナ、あなたがアレンデールに来られる方法を見つけ出せたら、わたしの家に泊《と》まりにきたい？」その声はふるえている。

「もちろん、泊まりにいきたいに決まってる！」アナはうれしくて大きな声でいった。

母が悲しそうにほほえみながらフレイヤを見た。「アナはしょっちゅう、アレンデールに行ってみたいといってるんだよ。この子を行かせてやれるいい方法はあるかい？」

「わからないけれど、とにかくきいてみるわ」フレイヤはアナの母にそう答えると、アナを見た。「アナはもうじゅうぶん待ったものね」

フレイヤと母さんたら、まるで暗号でしゃべっているみたい。アナにはふたりのいっていることがよくわからなかった。アレンデールをおとずれるだけなのに、どうして、ふたりともそんなにためらうんだろう。アナはふたりの会話に集中できるよう、早く飾りつけを終わらせてしまいたかったので、焼きあがった雪だるまのクッキーの上に、スプーンですくったアイシングをさっと落とした。アイシングがとろりと広がって両わきに落ち、雪だるまを白くおおう。

ほかのクッキーにも同じことを繰《く》りかえすと、スプーンを置いて口を開いた。

「アレンデールのフレイヤの家に行ってみたくてしかたがないの」両親を傷《きず》つけたくないけれど、ハーモン村にとどまるのは自分が思いえがいている未来じゃない。「行ってもいいでしょう？　ねえ母さん、お願い」

母はため息をつき、フレイヤをちらりと見た。「パン屋がいそがしいからね。長いあいだは無理だけど」いったん口をつぐんでこう続ける。「あとで父さんに話してみるよ。約束はできないけどね」口調を強める。「だけど、きいてみる。いつかはかならず、行けるはずだよ」

アナはフレイヤにいった。「ずっと、フレイヤのお嬢《じょう》さんに会いたいなって思ってたの。同じくらいの年のだれかといっしょにクッキーを焼けたらすごく楽しいはずよ。あっ、気を悪くしないでね」フレイヤと母がそろって笑った。

フレイヤがいった。「いつか近いうちに、きっと会えるわ。ほんとうはもっと早くに、会えるようにするべきだったのよ」

アレンデール。アナは何年も遠くからながめつづけてきたアレンデールを頭のなかに思いうかべた。城の小塔《しょうとう》のてっぺんよりもっと高いところまで思いえがくことができる。アナはアレンデールの中心に立っていて、そのとなりには、この場所をよく知っているフレイヤがいる。「父さんは行ってもいいっていうと思う？」アナは母にきいた。

「きっとだいじょうぶだよ」母が答えた。

フレイヤがほほえみ、アナの手をにぎった。その表情は明るい。「旅からもどったら、あなたがアレンデールに来られるよう方法をさがしてみるわ」

＊10　シロップを材料に使うノルウェーの伝統的なスパイスケーキ

6 エルサ

退屈《たいくつ》すぎて死んでしまいそう。

そうエルサは心のなかでつぶやいた。もちろん、声に出していうつもりなんてない。でも、肖像画《しょうぞうが》の間《ま》に置かれたベルベット張りの大きな長椅子《ながいす》にすわって天井を見あげていると、つい両親のことばかり考えてしまう。両親が旅に出てからまだ一週間しかたっていなかったが、エルサはすでに、ふたりのいないさびしさに耐《た》えられなくなっていた。勉強はもう三日先の分まで終わらせてある。父の代わりに王国の民《たみ》たちの話に耳をかたむけたり、庭を散歩したり、厨房《ちゅうぼう》にいるオリーナをたずねたり、そんなことを繰《く》りかえすだけの日々《ひび》。友だちのいないエルサにとって、城の料理長のオリーナは友だち代わりの存在《そんざい》だ。おさないころからそうしているようにミス・オリーナと呼《よ》ぶと、もうエルサさまも大人といえる年なのだから、オリーナと呼んでくださいときっぱりという。オリーナはエルサがアレンデール王国の未来の女王だろうと気にしない。エルサに対していつもはっきりとものをいう。

「エルサさまには友だちが必要ですね。それか、できたら結婚《けっこん》相手が」この日、オリーナはそうといった。エルサが肖像画の間を出て、厨房でおそめの朝食の卵《たまご》を食べていたときのことだ。

エルサは不満の声をあげた。「もう、ウェーゼルトン公爵《こうしゃく》みたいなこといわないで」この会話がどんな方向に向かうのかわかっていた。オリーナはお説教しようとしているのだ。

「エルサさまにふさわしい殿方《とのがた》を見つけるのが、そんなにいけないことなのですか？」オリーナがきいた。

エルサは深いため息をもらした。

「いいですか？　エルサさま」オリーナは木のお玉をふりながらいった。コンロの熱のせいでほんのり赤くなっている頰《ほお》が、興奮《こうふん》するにつれてますます赤くなっていく。「ほとんどの時間、ひとりきりですごしてるじゃないですか」

「だけど――」エルサの言葉をオリーナがさえぎった。

「わかっています。国王のあとをつぐ者として、必要なことを学んでいらっしゃるんですよね。それはもちろんごりっぱです。でも、エルサさまが最後に城壁《じょうへき》の外に出たのはいつですか？この城の召《め》し使い以外とすごしたのはいつでしょう？　よき女王というものは、自分の内面のことも外の世界のこともよく知っているものです。エルサさまは自分の世界に閉《と》じこもってばかりいる。人を理解するゆいいつの方法は、その人をよく知ろうとすることです。だれかといっしょにいることを楽しんでください。その人の話をよく聞いてください。そうしているうちに、自分が楽しめるものが自然とわかるようになりますから。勉強や将来《しょうらい》の心配をしているだけじゃなく」

オリーナのいうとおり。両親とすごしたり、りっぱな女王になることを学んだりする以外に、わたしがなにかを楽しむ時間をもったことなんてあっただろうか。オリーナは正しい。わたしには友だちが必要だ。趣味《しゅみ》ももったほうがいい。なにかやることを見つけなきゃ。でも、それはなに？

「あら、たいへん！」オリーナが、大きな箱をかかえながら厨房《ちゅうぼう》に入ってきたカイに気づいた。巻物《まきもの》や帽子《ぼうし》が箱から落ちそうになっている。オリーナは箱を床《ゆか》に置くのに手を貸そうとカイに駆《か》けよった。「手伝うわ」

「ありがとう、オリーナ。思ったより重くてね」カイはそう答えたあと、エルサがいるのに気づいた。「おはようございます。エルサ王女」

「おはよう」エルサはそういって小さく会釈《えしゃく》した。

「まったくむちゃよ。たったひとりで、そんな大きな箱を屋根裏《うら》部屋からここまで運んでくるなんて」オリーナはそういってコンロのそばにもどると、大きな鍋《なべ》の中身《なかみ》をかきまぜはじめた。

オリーナがなにをつくっているのかはわからないけれど、とてもおいしそうなにおいがする。

「屋根裏《うら》部屋はどんな感じ?」

「だいぶすっきりした。箱をいくつか片《かた》づけたし。ようやく床《ゆか》が見えるようになったよ」

「王や王妃《おうひ》が必要なものまで処分《しょぶん》してないわよね?」オリーナが腰《こし》に手をあてながらいった。

「まさか、とんでもない。片づけたのは古い帽子や壊《こわ》れてもう使えないものだけだ」カイは角《つの》が片方とれたバイキングハットとふちの欠けた青い花瓶《かびん》をもちあげた。「これは、オリーナが気に入るんじゃないかと思ってもってきた」カイは大きな鍋《なべ》を箱からとり出した。

オリーナの目が輝《かがや》いた。「まあ、これならいろいろなことに使えて助かるわ」

「明日、それほど暑くなかったら、また屋根裏部屋へ行くつもりですから、エルサ王女にもなにかないか見てまいります。とびきりすてきなものをもってまいりましょう。では、ごきげんよう、エルサ王女」カイは箱をもちあげて歩き出した。

「ごきげんよう」エルサはあいさつを返した。

エルサは屋根裏部屋にそんなにいろいろなものがしまってあるなんて知らなかった。屋根裏部屋はわたしの部屋の真上にあるけれど、まだ入ったことはない。今日はこれからとくにすることもないし、どんなものがしまってあるのか、こっそりのぞいてみてもいいかもしれない。

これは趣味《しゅみ》とは呼《よ》べないけれど、まずは初めの一歩が大切だ。

じゃあまたね、とオリーナに告げると、エルサはいったん自分の部屋により、ランタンをもって屋根裏部屋へ向かった。王と王妃がもどってくるまで城で催《もよお》しは開かれないので、そのあいだに、召《め》し使いたちは手つかずになっていたこまごまとした仕事を片づけていた。廊下《ろうか》に備えつけてある真鍮《しんちゅうせい》製のランプをみがいたり、八歳《さい》のころのエルサが描《えが》かれた王家の肖像画《しょうぞうが》から慎重な手つきでほこりをはらっていたりする人のそばを通りすぎ、屋根裏部屋へ続く階段《かいだん》の下まで来ると、階段をのぼりはじめた。のぼるにつれ、だんだん暑くなってくる。

ランタンをかかげて、暗くてせまい屋根裏部屋のなかを照らした。部屋のなかは、とてもかびくさい。さっきまでカイがここにいたのに、まるで何世紀もおとずれる人がいなかったかのようだ。床《ゆか》には、カイが箱を下にもっていくのにはらいのけたほこりがあちこちに積もっている。念入りな掃除《そうじ》が必要だ。一方のすみには家具が置かれ、その反対側の壁《かべ》にはそりが立てかけられている。大きくて重そうな収納箱《しゅうのうばこ》がいくつも置いてある場所もあるが、どの収納箱も塗《と》料《りょう》が落ちたり、花の図柄《ずがら》のローズマリングが色あせたりしている。なかをのぞいてみようと、いちばん手前にある収納箱まで歩いていった。だが、その箱には鍵《かぎ》がかかっていた。ふたつ目の箱にはキルトが入っているだけだった。三つ目はたくさんの古い帽子《ぼうし》とマントが数着。四つ目も鍵がかかっていたが、錠《じょう》がぐらぐらしていたので思い切り引っぱると、すんなりと外れた。なかにはピッケル*11や毛皮の飾《かざ》りのついた手袋《てぶくろ》や雪用のブーツがいくつも入っている。むかしはよくノースマウンテンにのぼっていたのかもしれない。カイがなぜここを片《かた》づけようとしているのか、エルサにはわかる気がした。次期女王にとって、遠出なんて時間のむだだ。山にのぼったとしても見るべきものなんてとくにない。でも……ほんとうにそう？

父は、おさないころからずっとこの城に住んでいる。父の子どものころの思い出の品《しな》があやまって捨《す》てられてしまうなんていやだ。だって、それは父の歴史そのものなのだから。捨てられないようにきちんとしまっておいたほうがいいだろう。収納箱をまわりこみ、ランタンですみを照らしたとき、壊《こわ》れた額縁《がくぶち》のなかに、黄ばんだ王国の地図があるのが見えた。父のお気に入りの地図だったのかもしれない。そばまで近づいていくと、なにか書いてあったので、ランタンの明かりに照らしてよく見ようと額縁をもちあげた。そのとき、額縁の後ろに収納箱があるのに気づいた。ほかの箱とはちがい、白い塗料《とりょう》がぬってあり、箱の前面にあざやかな色の花が描《か》いてある。なんだか見覚えがあったが、なぜそう思ったのかすぐにわかった。それはエルサのホープチェストにそっくりだったのだ。

結婚《けっこん》する前に、お母さまが使っていたものかしら。

ホープチェストの上に手をすべらせて、分厚《ぶあつ》く積もったほこりをはらいおとした。ふたのもようはエルサのホープチェストに描《えが》かれているのとまったく同じだったが、ほこりの下にうっすらと見える文字はエルサ《Elsa》のEではない。文字のあるところを手でこすり、ほこりをぬぐっていくとその文字があきらかになった。そこに描かれていたのは〝A〟だった。

A？　お母さまの名前はイドゥナ《Iduna》よ。お父さまの名前はアグナル《Agnarr》だけれど、このホープチェストがお父さまのものであるはずがないわ。Aってだれ？

これはだれのホープチェストだろう……。Aで始まる名前が頭のなかでぐるぐるまわるだけで、このチェストの持ち主でありそうな名前はまったく出てこない。A……A……A……なんとかしてつきとめようと記憶《きおく》をたどるけれど、いくら考えてもわからない。

代わりに思いうかんだのは、両親が言い争いをしていたときのことだ。あのとき、ふたりは〝あの子〟といっていた。たしか母はだれかに会いたいといいはり、父はそれは危険《きけん》だと強く反対していた。あんなふうにとりみだしているふたりの声を聞くのは、あのときが初めてだった。〝あの子〟と〝A〟の名前の持ち主は同じだろうか？

「エルサ王女！」

エルサはホープチェストからぱっとはなれた。まるで、屋根裏《うら》部屋にこっそり忍《しの》びこんでいたのを見つかってしまったかのように。

「エルサ王女!」

額縁《がくぶち》をもとあったところにもどしてホープチェストを見えないようにかくすと、階段《かいだん》に向かった。下は大さわぎになっていた。あちこちからエルサ王女と呼《よ》ぶ声が聞こえてくる。

「ここにいるわ」エルサは大きな声でいった。わたしがどこにいるかわからなくて、みんなを心配させてしまったのね。申しわけない気持ちでいっぱいになった。廊下《ろうか》の角《かど》を曲がると、城の召《め》し使いたちが集まっていた。ゲルダは悲しみにしずんだ顔をし、オリーナはハンカチに顔をうずめて泣いている。抱《だ》き合って涙《なみだ》を流している者もいた。

「エルサ王女!」カイがほっとしたように胸《むね》を押《お》さえた。「ごぶじでしたか」顔が赤くなっている。カイも泣いていたのかもしれない。「てっきり、エルサ王女まで……」

「エルサ王女まで……?」エルサは胸の鼓動《こどう》が速まるのを感じた。オリーナがハンカチで涙をぬぐうのを見ていたら、不安な気持ちがこみあげてきた。みんながこっちを見ている。どうしたんだろう。なにかおかしい。「どうかしたの?」

人びとのあいだからピーターセン卿《きょう》があらわれた。その表情は暗く、目は充血《じゅうけつ》している。「エルサ」とささやくピーターセン卿の声はふるえていた。「ふたりきりで話せないか?」

ピーターセン卿と目が合った瞬間《しゅんかん》、エルサははっとした。

「いやよ」と答えてあとずさりする。ピーターセン卿がいおうとしていることを聞きたくなかった。四方の壁《かべ》がこっちにせまってくるように感じる。むせび泣く声やすすり泣く声がどんどん大きくなる。鼓動がますます速くなって口が渇《かわ》き、目に涙があふれてくる。エルサにはわかった。ピーターセン卿は、わたしの人生がすっかり変わってしまうようなことをいおうとしている。その瞬間を少しでもおくらせたかった。「ふたりきりで話すなんていや。みんなといっしょにここにいたい」

ゲルダが落ち着かせようと、エルサに腕《うで》をまわした。

ピーターセン卿はあたりに目をさまよわせた。その目はぬれている。「わかった、エルサ。こんなことをいうのは、わたしもつらいのだ」

エルサは息をのんだ。だったらいわないで！とさけびたかった。

「王と王妃《おうひ》がのった船が、どこの港にも着いてない」ピーターセン卿は声をしぼり出すようにしていった。

「航路《こうろ》をそれてしまっただけでしょう」エルサは指先がひりひりしはじめたのを感じた。いままでにとらわれたことのない感覚だった。ゲルダから体をはなし、その感覚をふりはらう。「べつの船を送って、ふたりがのった船を見つけてちょうだい」

ピーターセン卿《きょう》は首を横にふった。「もうとっくに送っている。近隣《きんりん》の港や王国のすべてに情報を求めた。そして、そのすべてから返事がとどいたが、船はどこにも着いていない。サザンシーズは危険《きけん》な海域《かいいき》だし、このところ嵐《あらし》がたくさん起きていた」ためらうようにしながらこう続ける。「導き出される結論《けつろん》はひとつしかない」

「ちがうわ」エルサは声を荒《あら》らげた。そばにいるゲルダの目にたちまち涙《なみだ》があふれはじめる。「そんなはずない！」

ピーターセン卿がごくりとつばをのみこむと、のどぼとけが上下に動いた。オリーナが泣き声をもらした。頭《こうべ》を垂《た》れている者もいる。カイは祈《いの》りの言葉をつぶやいている。ピーターセン卿は唇《くちびる》をふるわせながらこういった。「エルサ、アグナル国王とイドゥナ王妃《おうひ》は亡《な》くなった」

「おふたりの魂《たましい》が安らかに眠《ねむ》らんことを」オリーナはそうつぶやくと、目を閉《と》じて顔を天井に向けた。ほかの人たちも、オリーナと同じように祈りを捧《ささ》げる。

「ちがうわ」エルサは繰《く》りかえした。いまや体じゅうがふるえ出していた。指先がまたひりひりしはじめる。とつぜん、体が光の破片《はへん》となって粉々《こなごな》にくだけちるような感覚におそわれた。ピーターセン卿が腕《うで》をのばしたが、エルサはあとずさった。どこかに消えてしまいたい。カイとゲルダが黒いシルクの細いひもを引っぱり、廊下《ろうか》にある国王と王妃の肖像画《しょうぞうが》をおおった。

お父さまとお母さまが……死んでしまった。わたしの家族はお父さまとお母さましかいないのに。ふたりがいなかったら、わたしはひとりぼっちになってしまう。呼吸《こきゅう》が荒《あら》くなり、心臓《しんぞう》がとび出さんばかりに鼓動《こどう》が速くなる。あらゆる音が何千倍にも大きくなって聞こえてくる。

「いや!」いまや指先は焼けるようだった。「そんなのいやよ!」エルサは駆《か》け出して、一度も立ちどまらずに自分の部屋まで走った。

体あたりするようにして扉《とびら》を開けてなかに入り、乱暴《らんぼう》に扉を閉《し》めた。円形のラグに横になる。動く気力などなかった。体をまるめ、ピンクの壁紙《かべがみ》をぼんやりと見つめる。壁にかかっている子どものころの肖像画の自分が見つめかえしてくるようだ。肖像画の少女は幸せそうにほほえんでいる。あのころのわたしには家族がいた。

でも、いまのわたしにはいない。

指先が焼けるような感覚がさらに強くなり、音が聞こえそうなほど鼓動がはげしくなる。涙が頬《ほお》を流れおち、襟《えり》をぬらして胸《むね》まで伝う。話し相手をさがして、よろめきながら立ちあがる。だれでもいいから、だれかと話したい。でも、ここにはだれもいない。けっきょく、わたしはひとりぼっち。ホープチェストのほうに歩いていき、手をふるわせながらキルトの下の鍵《かぎ》のついた緑色の箱をなでた。そして、チェストのなかをさぐり、ようやく目あてのものを見つけた。片目《かため》をつぶった手づくりの小さなペンギンのぬいぐるみ。名前はサーヨルゲンビョルゲン。おさないころ、このペンギンになんでも打ちあけていた。ふるえる手でペンギンをつかんだけれど、気持ちを言葉に出すことができなかった。お父さまもお母さまも死んでしまった。

〝退屈《たいくつ》すぎて死んでしまいそう〟今朝、こんなふうに思ってしまったせい？　どうしてこんな自分勝手なことを考えてしまったんだろう。サーヨルゲンビョルゲンをぎゅっとつかむ。焼けるように熱い手のせいで、燃えてしまうのではないかというほど強く。手がどんどんふるえ出し、ペンギンをつかんでいられない。思わず放りなげると、ペンギンはベッドに着地した。

ひとり。ひとり。ひとり。

死んだ。死んだ。死んだ。

いない。いない。いない。

頭のなかで言葉がこだまし、目を閉《と》じた。体の奥底《おくそこ》からはげしい感情がつきあがってくる。あまりに強くて城をふるわせてしまいそうなほどだ。たとえそうなったとしてもかまわない。その感情がどんどんせりあがり、ついにのどに達したとき、大きな叫《さけ》び声をあげていた。永遠にとめられないのではないかと思うほどはげしい叫びだ。焼けるように熱かった手が凍《こお》りそうなほど冷たくなり、前につき出された瞬間《しゅんかん》、体のなかでなにかが開いた。それは二度と閉《と》じられない深い裂《さ》け目のようだった。目を開けると、信じられないようなことが起きていた。指先から空中に向かってなにかがとび出していたのだ。

氷。

氷は部屋をつっ切り、反対側の壁《かべ》にあたるや、そのまま天井まで這《は》いあがった。エルサがおびえ、泣きじゃくりながら後ろにとびのいているあいだにも、氷はどんどん広がりつづける。足の下をめりめりと音をたてて進みながら床《ゆか》じゅうを凍らせ、反対側の壁にぶつかると、また壁を這いあがっていく。

なにが起きているの？

氷はわたしの指先から出ている。なぜこんなことができるのかはわからないけれど、これが現実だということはわかる。いま目の前で起きているのは、ぜんぶわたしがしたことよ。どうしてこんなことが起きているの？

魔法《まほう》。

父と母が言い争いをしたとき、父が魔法という言葉を使っていたのを思い出した。あのとき、ふたりはわたしのことを話していたの？

悲しみに打ちのめされ、近くの壁《かべ》によりかかってへなへなとすわりこむ。

ひとり。ひとり。ひとり。

いない。いない。いない。

こみあげてくる涙《なみだ》をこらえているあいだにも、指先からどんどん氷が放たれていく。わたしが悲しむと、こんなことが起こるの？　お父さまとお母さまは、わたしにこんな不思議な力があると知っていたんだろうか。生まれながらにこんな力をもっていたけれど、いままでそれに気づかなかっただけ？　これほど不安な気持ちになったのは、生まれて初めてだ。お父さまとお母さま以外に、いま起きているのがどういうことなのか、きけるほど信頼《しんらい》できる人はいない。ああ、お父さまとお母さまがいてくれたらいいのに。いまほど両親を必要としたことはない。

壁に頭をたたきつけて目を閉じる。そして、かすれた声でいった。「お父さま、お母さま、お願い、わたしをひとりにしないで」

＊11　登山用具

7 アナ

空に太陽が輝《かがや》いている時間にベッドに横になるなんていつ以来だろう。アナはベッドにもぐりこんだ。父さんと母さんは、ゆっくりお休み、といってくれた。昨日の夜、アナはひと晩《ばん》がかりで、何段《だん》にも重なったアレンデール王国の伝統的なウエディングケーキをつくった。ラルセン家の注文の品《しな》で、代金はすでにたっぷりともらっている。こういうケーキはあまりつくったことがなかった。スポンジを何枚も焼きつづけているあいだに、アイシングもしなければならず、つくるのに何時間もかかるからだ。たいへんだったけれど、できばえには満足していた。今日の午後、結婚《けっこん》式をあげるラルセン家の娘《むすめ》さんも、きっと気に入ってくれるにちがいない。やっと眠《ねむ》れる、とほっとしたとたん、あくびがもれた。枕《まくら》をふわふわにふくらませ、キルトのベッドカバーを引っぱりあげて目を閉《と》じる。

でも、すぐには眠れなかった。つい、ケーキのことを考えてしまうのだ。ラルセン家の人たちが招待客にケーキを自慢《じまん》している場面が頭に浮《う》かんでくる。アレンデールからやってきた客たちが家にもどったあと、あたしの仕事ぶりを広めるかもしれない。そして、そのうわさはすぐに王と王妃《おうひ》の耳にもとどき、城に来てなにかつくるように、といわれるのだ。そうなったら、父さんも母さんもフレイヤも、あたしを誇《ほこ》りに思ってくれる？　王と王妃にそうたのまれたと知ったら、父さんも母さんも、あたしがアレンデールに行くのを引きとめるはずがない。王家のために雪だるまのクッキーをつくっている自分がありありと浮《う》かんでくる。雪だるまのクッキーのことを考えたら、フレイヤを思い出した。

フレイヤが早く旅からもどってきたらいいのに。そしたら、あたしがアレンデールに行けるよう、父さんと母さんを説得してくれるはずだ。母さんは、はっきり決まったわけじゃないよ、としつこくいいつづけている。「フレイヤも仕事がいそがしいんだ。行けるとしても、ちょうどいい時期を見計《みはか》らわないとね」と。もう、母さんたらいつも心配ばかり！　父さんだってそう。アレンデールに行くことになったら、自分が山のふもとまで連れていって、アナがすぐに帰りたくなったときのために近くで待ってる、なんていう。父さんがハーモン村を最後に出たのっていつだろう。パン屋を休みにして三人で何日か行こう、と説得したのだけれど、父さんは頑《がん》として聞きいれず、こういうのだ。「おまえひとりだけでも行けるかどうかわからないんだぞ」と。でも、心のなかでひそかに思いえがく未来では、あたしはアレンデールにいる。アレンデールにいない未来なんて、あたしには考えられない……。

しばらくして、ようやく眠《ねむ》りに落ちた。でも、見たのは雪だるまの夢ではなく、胸《むね》がしめつけられるような苦しい夢だった。とても寒く、氷のかたまりにすわっているかのようだ。目の前にかざした手が見えないほど雪が舞《ま》い、まるで猛吹雪《もうふぶき》のなかにいるようだけれど、ふつうの吹雪とはちがう。あたりをおおっている闇《やみ》にのみこまれてしまいそうだ。それだけじゃなく、だれかが必死に助けを求めている。

その人物のいる場所へ行こうと、はげしく吹《ふ》きつける雪のなかを進んでいく。でも、だれも見つけられない。どこか遠くから泣き声がするのだが、それがどこから聞こえてくるのかわからない。わかっているのは、手おくれになる前にその人物を見つけ出さなければならない、ということだけだ。なにかが、こう告げていた。心の命じるままにしたがえ、直感を信じろと。

「だれかいるの?」風に向かってさけんでも返事はない。これほど孤独《こどく》だと感じたことはない。吹雪のなか、さらに足をふみ出したとたん、崖《がけ》から落ちた。

アナは不安にあえぎながら目を覚ました。「力を貸して! だれかが助けを呼《よ》んでるの!」胸が苦しくて強く押《お》さえる。「ただの夢よ」何度もそう自分にいいきかせたけれど、どうしても夢とは思えなかった。まるでほんとうのことのよう。

少し外に出たほうがいい。

ベッドカバーをはらいのけ、靴《くつ》をはいた。太陽はベッドに入ったころよりもだいぶ低い位置に移動している。父さんと母さんは、そろそろ仕事の片《かた》づけを始めるころだろう。散歩すれば気分がよくなるかもしれない。

両親にはなにもいわずに、玄関《げんかん》からそっと家をぬけ出し、あてもなく村を歩きはじめた。いつものように、だれかに会うたびに立ちどまって話しかけたりしなかった。冷えきった体をくるむように両手で両腕《うで》を抱《だ》き、うつむきながら歩きつづける。あれはただの夢だ。なのに、ほんとうのことのように思えてならない。

だれかが深い悲しみの底にいる。でも、まったく望みがないわけじゃない。直感がこう告げているからだ。あたしには、この悲しんでいるだれかを助けられると。どうしてなのか理由はわからないけれど……。

体をあたためようと手のひらで腕をこすりながらあてどなく歩いていると、とつぜん一台の馬車が大きな音をたてながら走ってきて、アナは肩《かた》をびくりとさせた。馬車が教会の前でとまるなり、なかから城の衛兵《えいへい》がひとりとび出てきた。このハーモン村に城の馬車が来るのを見たのなんて初めてかもしれない。衛兵は教会の扉《とびら》に布告書《ふこくしょ》を鋲《びょう》でとめ、なかから出てきた司祭《しさい》とひとこと、ふたこと話すと、また馬車にのって去っていった。そばにいた人たちが司祭のもとに集まってきて、なにがあったのか聞いたとたん、あわてて家に駆《か》けもどっていく。あちこちの家からつぎつぎと人が出てきて、布告書を読もうと押《お》しよせる。アナもそっちへ近づいていくと、布告書を読んでいた女の人が息をのみ、となりにいる人がわっと泣き出した。あたりは泣いたりわめいたりする人で騒然《そうぜん》となり、とつじょとして教会の鐘《かね》が鳴りひびく。アナは布告書になにが書いてあるのか見たくて人ごみにまじろうとしたが、もっとよく見ようと前につめかける人が多すぎて進めない。アナはまだ、体をあたためようと両手で両腕を抱いていた。ばかげているかもしれないが、いまなお凍《こご》えるように寒い夢のなかにいるように感じていたのだ。

「すみません」アナは教会の入り口の階段《かいだん》の近くに立っている男の人に話しかけた。「城の衛兵がなにを知らせにきたのか教えてもらえませんか？」

男の人は手で涙《なみだ》をぬぐった。「王と王妃《おうひ》が、お亡《な》くなりになったんだよ。海で遭難《そうなん》したらしい。おふたりがのった船は、どの港にも着かなかったんだ」

「まさか！」アナは両腕をぎゅっと抱いた。「うそでしょう？」

男の人は人ごみをかきわけて奥《おく》に進もうとしながらいった。「うそじゃない。布告書には、これから喪《も》に服《ふく》す期間に入ると書いてあるらしい」

「エルサ王女は？」アナはたずねた。返事を聞くのがこわかった。

「王女は生きている。この悲報《ひほう》をみんなに知らせ、アレンデール王国と未来の女王のために祈《いの》ろう。エルサ王女はひとりになってしまった」

母さんと父さんに知らせなきゃ。アナが店まで走ってもどっていくと、父はほうきで店の床《ゆか》をはいているところだった。ドアがばたんと閉《し》まる音におどろいて父が顔をあげた。

「どうしたんだ？」父はアナの顔に浮《う》かんだ表情を見てほうきを床に落とし、そばに駆《か》けよった。「アナ、だいじょうぶか？　さっき馬車の音が聞こえた。だれかが城の馬車だといっていたが、ずっと店にいてな。なにかあったのか？」

アナはうなずいた。泣き出さないよう必死にこらえる。「母さんはどこ？」

「ここにいるよ」母が店と家をつなぐドアから、エプロンで手をふきながら出てきた。母もアナの表情とぼさぼさの髪《かみ》を見るなりこういった。「なにかあったのかい？」

「すわって聞いたほうがいいと思う。居間《いま》に行こう」

父と母はアナのあとについて居間に入ったが、すわろうとしなかった。しっかりと手をにぎり合っている。アナは深く息をすった。「とても悲しい知らせよ。王と王妃《おうひ》が海で遭難《そうなん》したの」

そういって目を閉《と》じる。あまりにショックが大きすぎて、きちんと考えられない。

「まさか！」母が声をあげて泣き出したのを見て、アナの体がふるえ出した。「そんなことがあってたまるものか。どういうことだい？」

アナは唇《くちびる》をふるわせながらいった。「城の衛兵《えいへい》が来て、教会の扉《とびら》に布告書《ふこくしょ》をとめていったの。これから喪《も》に服《ふく》す期間に入るって。王と王妃がのった船がどの港にも着かなかったそうよ」頭《こうべ》を垂《た》れて祈りを唱《とな》える。「アグナル国王とイドゥナ王妃の魂《たましい》が安らかに眠《ねむ》らんことを」あまりに痛《いた》ましいできごとにアナは耐《た》えられず、父と母も悲しみにしずんでいた。母はどさりと椅子《いす》にすわりこみ、父は体をふるわせている。

「なぜだ？　なぜなんだ？」父は天に向かって問いかけた。

アナは涙《なみだ》を流しつづける母を元気づけようとした。「とても残念だけど、すべてが失われたわけじゃない。エルサ王女は生きてるの。あたしたちの未来の女王よ」

母の泣き声がさらにはげしくなる。父がアナを片手《かたて》で抱《だ》いた。「二十一歳《さい》になったら、エルサ王女が王位をつぐことになる。だが、いまはまだ……」

「かわいそうな王女さま」アナはつぶやいた。広い城に、ひとりきりでいる王女が目に浮《う》かぶ。胸《むね》に手をあてて何度もこするが、いくらこすっても体があたたまらない。「ご両親をいっぺんに亡《な》くしてしまうなんて」

部屋がしんと静まりかえる。しばらくして、父が口を開いた。「トーマリー、アナに話したほうがいい」

アナは母から父へと視線《しせん》をうつした。「あたしに話って？」

「そうだね」というと、母はアナの手をにぎった。「アナに話してなかったことがある」深くため息をつく。「アナ、王妃《おうひ》はお付きの女性を何人かいっしょに連れていった。そのなかにフレイヤもいたんだよ」母の目にまた涙《なみだ》があふれてくる。父が母の肩《かた》を抱《だ》いた。

「フレイヤ？　まさか！　あのフレイヤが？」とさけぶなり、アナは泣き出した。「うそでしょう？　フレイヤの家族は？　いっしょに行ったの？」

母は父を見た。「だんなさんはいっしょに行ったはずだよ。でも、お嬢《じょう》さんは家に残していくとフレイヤはいっていただろう？」

「だったら、お嬢さんをだれかに呼《よ》びにいかせる？　ほかに家族はいるの？」アナはかすれ声でいった。フレイヤのお嬢さんの悲しみを想像すると、胸《むね》がしめつけられるようだった。「お嬢さんはだいじょうぶかな？」

「だいじょうぶだよ、きっと」と母はいったが、涙は流れつづけている。

「父さん、ほんとうなの？　フレイヤがその船にのってたって」

父は一瞬《いっしゅん》、言葉につまった。「ああ」唇《くちびる》がふるえている。「このあいだ、ここに来たときにフレイヤはそういっていたからな。自慢《じまん》するのが好きじゃないから大げさにはいわなかったが、フレイヤは王と王妃といっしょに船にのった」父の目にも涙があふれてくる。「大切な友が亡《な》くなってしまった」

父さんのいうとおり。王と王妃が亡くなったことはもちろん悲しい。でも、フレイヤはほんとうの家族のような存在《そんざい》だったのに……。ひざからくずれ落ちそうになったアナは、父にささえられながら床《ゆか》にひざをつくと、なぐさめてほしくて母に手を差し出した。「フレイヤがもういないなんて、そんなのいや！」とさけび、母の胸に顔をうずめる。

母はアナの髪《かみ》をやさしくなでた。「アナ、こんなことになって残念だね。ほんとうに残念だ」声をつまらせ、アナの目が見えるように体を引きはなす。「ほかにも、アナが知っておいたほうがいいことがあるんだよ」

「トーマリー！」父がするどい声でいった。「いわないと誓《ちか》っただろう。いま、ここで、その誓いをやぶるわけにはいかない」

アナは思わずたじろいだ。いままでに、父がこんなふうに母をどなりつけたことなんてない。

「いわなきゃ、ヨハン！　アナにはほんとうのことを知る権利《けんり》がある！　いまいわなくて、いついうんだい？」

「だめだ。おまえが勝手に話していいことじゃないだろう」父がいいかえした。

ほんとうのことってなに？「あたしはもう十五歳《さい》だよ。ほかに知っておいたほうがいいことがあるなら聞きたい」

母が悲しげにほほえんだ。「なんでもない。すまないね。ひどくとりみだしてしまって。フレイヤはかけがえのない、いちばん大切な友だちだったんだよ」

アナはもう一度、母に手をのばして強く抱《だ》きしめた。父がそんなふたりをさらに抱きしめる。三人とも悲しみに打ちひしがれていた。やりきれない思いがこみあげてくる。アナの目から、とめどなく涙《なみだ》があふれ出る。フレイヤはもういない。王と王妃も亡《な》くなってしまった。四方の壁《かべ》がこっちにせまってくるように感じたが、アナは必死にそれを押《お》しとどめようとした。

なにかなぐさめになるものを求めて視線《しせん》をさまよわせ、母の肩《かた》の向こうにある窓《まど》で目をとめた。涙で目がぬれていて視界《しかい》はぼやけているけれど、窓があるのはわかる。二軒《けん》ならんだ家のあいだから山の下のほうに目を凝《こ》らせば、そこにはアレンデールが広がっていて、あたしを呼《よ》んでいる。アナは考えずにはいられなかった。いま城のなかはどうなっているんだろう。だれがエルサ王女をなぐさめているんだろう。

父と母をしっかりと抱きしめる。そして、エルサ王女がひとりぼっちでないことを心から願った。

8 エルサ

エルサは雪が舞《ま》いおちるなか、床《ゆか》に寝《ね》そべったまま氷におおわれた天井を見あげた。

両親がのった船が海で遭難《そうなん》したという知らせがとどいてから、三日がすぎていた。そのあいだ、一歩も部屋を出なかった。ベッドできちんと寝ていなかったし、扉《とびら》の外に置かれた食べ物にもほとんど手をつけていなかった。だれに会うのも拒《こば》んでいた。父と母がいなくなったいま、いちばん家族に近い存在《そんざい》であるピーターセン卿《きょう》にさえも。とにかく、ひとりになりたかった。

ひらひらと落ちてくる雪を鼻や頬《ほお》に受けながら、天井からぶらさがっているつららを見つめた。自分でつくり出したつららだ。

なんて皮肉なことだろう。自分にはこんな不思議な力があると知ったところで、いまはそれを打ちあけられる人もいないのに。

片手《かたて》をあげると、ふるえる指先からまたもや氷が放たれた。氷がさっと天井を横切っていく。どうしてこんなことができるのか、いまでもわからなかったけれど、氷が放たれそうな瞬間《しゅんかん》は感じとれるようになった。指先がひりひりし、胸《むね》の鼓動《こどう》が速くなる。それに起こるのは、両親のことを考えているときだ。といっても、こんな状況《じょうきょう》のいま、それ以外のことを考えられる？ いいえ、考えられない。

このままずっと床に寝そべっていたい……。

そのとき、扉《とびら》をそっとノックする音が聞こえた。エルサにはたずねなくても、それがだれだかわかった。

「そろそろ追悼《ついとう》式に行こうと思う。いっしょに来てくれないか、エルサ」

ピーターセン卿《きょう》だった。この三日間、エルサはこの部屋を出ていなかったが、ピーターセン卿がなんのことを話しているのかはわかった。カイもゲルダもオリーナもピーターセン卿も、扉越《ご》しにずっと話しかけてくれていたからだ。

けれど、どんな話をされても、きちんと聞きいれられるような状態ではなかった。いま、だれがこの王国を治めているのかは、わかっている。旅に出る前、父はこういっていた。もし自分の身になにかあったら、エルサが王位をつげる二十一歳《さい》になるまで、ピーターセン卿が国政を代行すると。いまのエルサには、それさえわかっていればよかった。

エルサは自分で思っていたほど両親について知らなかったことに動揺《どうよう》していた。ふたりが旅に出る前に聞いた言い争い、屋根裏《うら》部屋にあった〝A〟という謎《なぞ》の文字が描《か》かれたホープチェスト、自分の不思議な力……ふたりにききたいことがたくさんある。お父さまもお母さまもわたしに不思議な力があると知っていた？　もし知っていたなら、どうして話してくれなかったの？　こんな力をもって生まれてきたわたしをはずかしいと思っていた？　それともおそろしいと思っていた？　ほかの人がわたしをどう思うか心配だった？　ふたりの答えを知ることはもうない。秘密《ひみつ》をかかえたまま、ふたりともこの世からいなくなってしまったのだから。ひとり残されたわたしは、自分で謎をときあかすしかない。

「エルサ、ご両親もきみが来てくれたらよろこぶはずだ。お願いだから扉《とびら》を開けてくれ」

エルサは目をかたく閉《と》じた。王と王妃《おうひ》の追悼《ついとう》式はフィヨルドを見おろせる場所で開かれることになっている。王も王妃も海で命を落としたが、ふたりの栄誉《えいよ》をたたえる墓碑《ぼひ》はそこに建てられるのだ。きっと数えきれないほどおおぜいの民《たみ》が集まるだろう。そして、お悔《く》やみの言葉を述べるだろう。でも、そういった場に出て、うまくふるまえる自信がなかった。指先から氷が勝手にとび出してしまうかもしれないのに。そんなことになったら、みんながわたしを魔女《まじょ》だの怪物《かいぶつ》だのと呼《よ》ぶだろう。そして、王位を放棄《ほうき》しろ、とせまってくるかもしれない。両親から受けついだものが一瞬《いっしゅん》にしてなくなってしまう。

だめ。やっぱり追悼式には行けない。この魔法《まほう》の力をコントロールできるようになるまでは、どこであろうと公《おおやけ》の場《ば》には出られない。

そのときまで、この部屋にひとり閉《と》じこもっていよう。城を出ることなく、会うのもごくかぎられた人だけにして。いまいちばん大事なのは、この力をかくすこと。魔法《まほう》の力を感じてはだめ。だれにも知られてはだめ。

お父さまもお母さまも、わたしをとても愛してくれた。わたしにはまだふたりが必要だ。自分の身に起きたことをふたりに伝えたくてたまらない。この力を自分でコントロールできなかったらどうすればいい？　ピーターセン卿《きょう》に話すことはできない。きっとこわがらせてしまうだろう。それに王位をつぐことも危《あや》うくなる。やっぱり、だまって耐《た》えるしかない。

「エルサ？　聞いてるかい？」

「王女はなんと？」べつの声が聞こえた。せきたてるような口調だ。

エルサの耳に、ピーターセン卿がしんぼう強く状況《じょうきょう》を説明している声がとどく。

べつの声がいった。「王女が動揺《どうよう》しているのはわかるがね。未来の女王が両親の追悼《ついとう》式に出席せんのはまずいだろう。そんなことをしたら、みなからどう思われるか」

この声の主《ぬし》はウェーゼルトン公爵《こうしゃく》にちがいない。公爵にはこの王国にかかわることに対して発言権《はつげんけん》はないが、密接《みっせつ》な貿易相手国の代表として、少しくらいなら口を出してもいいと思っているのかもしれない。公爵はアレンデール王国の国王と王妃《おうひ》が亡《な》くなったという知らせを聞き、急いで引きかえしてきたのだった。エルサは公爵の話を聞いているといらついたが、公爵のいうとおりだとわかっていた。両親に敬意《けいい》を表《ひょう》し、追悼式に出席したほうがいい。でも、そうするためには、部屋から出て、この力をみんなに知られてしまう危険《きけん》に身をさらさなければならない。

「お願い、ひとりにして」エルサはかすれた声でいった。

沈黙《ちんもく》がおりる。

「王女は来ません」ピーターセン卿がウェーゼルトン公爵に話しかける声が聞こえた。ウェーゼルトン公爵は反論《はんろん》しなかった。やがて、ふたりが去っていく足音が聞こえた。

エルサは体を起こし、ベッドの上のサーヨルゲンビョルゲンを見た。三日前に放りなげたときからずっとそこにある。いまは氷におおわれて真っ白だ。サーヨルゲンビョルゲンと話せたらどんなにいいだろう。おさないころ、このペンギンのぬいぐるみが大好きだった。なんでも話を聞いてくれるだけでなく、忠実《ちゅうじつ》な友だちだったからだ。サーヨルゲンビョルゲンもわたしを好きかしら、と想像するのが好きだった。

ほんの一瞬《いっしゅん》、頭におさないころの記憶《きおく》が浮《う》かんだ。部屋のなかで女の子といっしょに雪だるまをつくっていて、ふたりで笑いながら雪玉を転がしている。ふたりともおたがいが大好きなのがわかる。そのとき、指先がひりひりしだした。でも、これまでとちがって指先があたたかい。その感覚はすぐに消え、代わりにはげしい頭痛《ずつう》が残った。

いまのはなに？　あの女の子も、いま浮かんだ場面も、わたしが勝手に想像したことにすぎないわ。だってわたしが魔法《まほう》を使えるようになったのは、つい最近なのだから。でも、ほんとうにそう？

ゆっくりと立ちあがった。脚《あし》がふるえている。たおれないようベッドのフレームをつかむ。心臓《しんぞう》がどきどきし、指先が痛《いた》む。さっき、たしかに愛という感情が自分の血管を駆《か》けめぐったのを感じた。目をつぶり、その愛を思い出そうとする。愛は恐《おそ》れよりもずっと強い。だれかのためになにかをつくりたいと思ったとき、この感情は生まれた。そのなにかとは、記憶《きおく》のなかで女の子といっしょにつくっていた雪だるまだ。愛を瓶《びん》に閉《と》じこめて、そばに置いておけたらどんなにいいだろう。とりわけ、いままでいちばん孤独《こどく》だと感じているこんなときは。

ためすくらいなら、なんの問題もないわよね？

両方の腕《うで》をまわしながら、指先から氷や雪を放った。でも今回は、愛という感情を呼《よ》びおこすことに集中し、恐れは感じないようにした。女の子といっしょに笑いながら雪だるまをつくっている場面をもう一度思いうかべる。ふたたび目を開けると、目の前で、雪が竜巻《たつまき》のように渦《うず》巻《ま》いていた。それは回転しながらあがっていくと、空中で雪玉になり、やがて雪だるまの形になった。いちばん下の大きな雪玉にはちょこんとまるい足がふたつついていて、その上に少し小さな雪玉がのっている。さらにその上には卵《たまご》のような形をした頭がのっかっていて、大きな口から前歯が一本のぞいている。

後ろによろめき、信じられない思いで自分がつくり出したものを見つめた。この雪だるまは、わたしが自分の力をコントロールしてつくったものなのよね？　とてもおかしなすがたの雪だるまを見ていると、思わず笑い出しそうになる。雪だるまの前に立ってしげしげとながめたあと、暖炉《だんろ》から焚《た》きつけの細い枝をとってきて腕と髪《かみ》の毛にし、灰《はい》のなかから石炭をひろってきてボタンにし、昨日の夕食の皿からニンジンをとってきて鼻にした。一歩さがって自分の作品をほれぼれとながめたとき、なにかがおかしいと気づいた。とつぜん、雪だるまがきらきらした青い光につつまれたのだ。それはエルサの魔法《まほう》が放たれるときと同じ光だった。光が消えたとき、雪だるまが大きな目をぱちくりさせた。エルサはびっくりして後ろにとびのいた。

「やあ！　ぼくはオラフ。ぎゅーって抱《だ》きしめて」

うそでしょう、この雪だるまは生きてるの？　わたしの魔法の力が、雪だるまに命を吹《ふ》きこんだということ？　雪だるまが部屋のなかを歩き出したのを見て、エルサは思わず息をのんだ。歩いてるわ！　あぜんとして自分の手にじっと目を凝《こ》らす。どうしてこんなことができたのかしら。「あなた、話せるの？」とおそるおそるきいてみた。錯覚《さっかく》や空耳じゃないわよね？

「うん、そうだよ！　ぼくはオラフ」と雪だるまは繰《く》りかえし、サーヨルゲンビョルゲンをつかむと、ペンギンのぬいぐるみに向かって話しかけた。「わあ！　きみだれ？　やあ、ぼくはオラフ！」

「オラフ」とエルサは気持ちを落ち着かせながら繰りかえした。どうして、この名前に聞きおぼえがあるんだろう。

「エルサがぼくをつくったんだよ」雪だるまがいった。「わすれちゃった？」

「わたしがだれだか知ってるの？」

「うん、なんで？」オラフはひょこひょこと歩いていって、窓辺《まどべ》の長椅子《ながいす》をじろじろとながめている。

エルサは目の前で起きていることにあっけにとられつつも、ほんの一瞬《いっしゅん》、悲しみをわすれることができた。愛の記憶《きおく》のおかげで、話して歩く雪だるまをつくることができたのだ。

「わあ！　この部屋すてきだねぇ。あっ、あれはなに？」オラフは開いている窓のそばへ行って、窓の外をながめた。エルサが圧倒《あっとう》されながらオラフを見つめていると、オラフはこういった。「すごーい！　村だよ。ぼく、ずーっとあんな村を見てみたかったんだぁ。人がいて、動物がいて、そしていまは夏！　ぼく、夏にあこがれてるんだ！　だって、ミツバチがぶんぶんとびまわったり、子どもがタンポポの綿毛をふーって吹《ふ》いたりするのが見られるでしょ――あれ？」オラフはエルサのほうを向いた。顔の右半分がとけはじめている。「これくらい、どうってことないよ」

エルサは腕《うで》をのばして指先をくるくるとまわした。暑いときでもオラフがいつも涼《すず》しくいられますように、と願いながら。すると、小さな雪雲がオラフの頭の上にあらわれた。

「わーい！　ぼくだけの雪雲だぁ！」オラフは両手で自分の腕をぎゅーっと抱いた。そして、エルサの顔に浮《う》かんだ表情を見てこういった。「どうしたの？」

「なぜあなたがここにいて、なぜわたしはあなたをつくり出したのか考えてるのよ」

オラフがいった。「覚えてないの？　エルサはアナのためにぼくをつくったんだよ！」

エルサは一瞬、心臓《しんぞう》がとまったかと思った。

アナ？

屋根裏《うら》部屋のホープチェストに描《か》いてあった〝A〟って、もしかしてアナ《Anna》のA？

エルサはおそるおそるきいた。「アナってだれ？」

オラフの人なつっこい笑みが消えた。「わかんないなぁ。アナってだれだっけ？」

まあいいわ。一歩前進だ。とりあえず名前はわかったんだもの。「わたしもわからないの」

エルサはオラフの小枝の手をとり、窓辺の長椅子へ連れていった。自分の知っていることをすべてオラフに話すつもりだった。「でも、いっしょに答えをさがしましょう」

9 ❄ エルサ

三年後……

エルサは自分の部屋の窓《まど》から外に広がる景色を見るなり、思わず息をのんだ。城門が開かれ、緑の制服すがたの召《め》し使いたちが、前庭や大聖堂《だいせいどう》で戴冠《たいかん》式の準備をしている。エルサの横顔の金色のシルエットやアレンデール王国の紋章《もんしょう》が描《えが》かれた紫《むらさき》と緑のストライプの旗が、城門の内側や外側のあちこちではためいている。エルサの戴冠式が数日後にせまっていた。

エルサはおびえていた。

速まる鼓動《こどう》をおさえようと、深く息をすいこんだ。そうしないと、指先からあの青い光が出てしまいそうだった。人前でわたしの力を見せたらだめ、と自分にいいきかせる。わたしがよい統治者《とうちしゃ》だとみんなに思ってもらわないと。さすが、あの国王と王妃《おうひ》が育てただけあると。魔《ま》法《ほう》を使えるなんて知られたらだめ。もしそんなことになったら……ゆっくりと息をはき出しながら最悪の事態《じたい》を頭に思いうかべる。一歩まちがえれば、みんなにほんとうのことを知られてしまう。わたしがみんなとはちがうということを。

扉《とびら》をノックする音が聞こえた。「エルサ王女？　戴冠式のドレスの最後の衣装合《いしょう》わせのために、衣装部屋までお越《こ》しいただけますか」

ゲルダが廊下《ろうか》から呼《よ》んでいる。エルサはこの三年間、ゲルダはもちろんのこと、カイとピーターセン卿《きょう》がいてくれることに心から感謝していた。両親が亡《な》くなってから、この部屋はエルサの避難所《ひなんじょ》であるとともに安らぎの場所になった。三人ともエルサの意思を尊重《そんちょう》して、好きなだけここにいさせてくれた。そして、ようやく部屋の外に出られるようになったいまも、エルサは多くの時間を自分の部屋とそれに隣接《りんせつ》する衣装部屋ですごしている。城のほかの部屋にはあまり長居《ながい》しなかった。両親の思い出があふれていて、つらくなってしまうのだ。

「ありがとう、ゲルダ。衣装部屋で会いましょう」エルサは扉越《とびらご》しに大きな声で答えた。

ゲルダはほかのだれよりもエルサを理解してくれている。でも、そんなゲルダでさえ、エルサの秘密《ひみつ》は知らない。それを知っているのはひとりだけだ。

「わあ、見て！　またお花がとどいてるぅ！」オラフが大きな花束《たば》をかかえながら、衣装部屋へ続くドアを通ろうとしている。

「オラフ！」エルサはゲルダに見られる前に、オラフを引っぱった。「わかってるでしょう。

衣装部屋に入ったらだめ。わたしといっしょのとき以外は、この部屋を出ることはできないわ。とくに今週は、城におおぜいのお客さまがいらしてるんだから」

「だけど、細かいことというけどさぁ。ぼくはエルサの部屋を出ることにはならないよ。だって、衣装部屋はこの部屋とつながってるんだからぁ」

エルサはオラフから花束を受けとり、机《つくえ》の上に置いた。「たしかにそのとおりね。でも、この部屋から勝手に出ないって約束して」

オラフの頭の上の雪雲から降《ふ》る雪のスピードが速くなる。「だけど、この部屋の扉の向こう側って、とーっても楽しそうなんだもん！　この前も鍵穴《かぎあな》から外をのぞいてたら、チョコレートケーキをのせたカートをだれかが押《お》してたんだよぉ」

「あとで、この部屋にケーキをもってくるよう伝えておくわ。外に出てみたい気持ちはわかるけど、しゃべる雪だるまが廊下《ろうか》をうろついているところを、だれかに見られたらたいへんだもの。だから今日のところはがまんして」

オラフは口をとがらせた。「エルサったら、毎日それればっかりいってるぅ」

エルサはオラフの小枝の手をつかんだ。「そうよね、ごめんなさい」

エルサは言葉ではいいあらわせないほど、オラフに申しわけなく思っていた。オラフはエルサにとって家族も同然だ。この三年間、オラフはずっとそばにいてくれた。そしてそのあいだ、いまならぜったいにだれにも見られない、というときしか、オラフをこの部屋から出さなかった。

そういう機会をさがして、ときどきいっしょに部屋をぬけ出した。秘密《ひみつ》の通路を使うこともあれば、オラフをティーカートの下にのせて、屋根裏《うら》部屋に続く階段《かいだん》の下までこっそり運んだこともある。そこからは、ふたりで一気に階段を駆《か》けあがるのだ。そんなことを繰《く》りかえして何度か屋根裏部屋に行ったけれど、アナがだれなのかはまだわかっていない。〝A〟という文字の描《か》かれた謎《なぞ》めいたホープチェストには、子ども用のドレスが数着とボンネット帽《ぼう》がいくつか入っていたけれど、〝A〟がアナ《Anna》のAだという証拠《しょうこ》も、アナの正体《しょうたい》をつかむ手がかりも見つかっていない。

エルサはアナを知ってるはずだよ、とオラフはいう。でも、エルサはアナがだれだかわからなかったし、正体不明の女の子がだれなのか調べることにもつかれていた。図書室に何度も足を運んでも、なんの手がかりも見つけられなかったし、城の大聖堂《だいせいどう》にもアナという名前の女の子が誕生《たんじょう》した記録は残っていなかった。一度だけ、ピーターセン卿《きょう》の前で「アナ」と口に出してみたことがある。その名前を聞いて、どんな反応が返ってくるかたしかめようとしたのだ。

でも、ピーターセン卿は、ぽかんとした顔をしただけだった。オラフだけはアナを覚えているけれど、アナについての記憶《きおく》はほとんど消えていた。

「戴冠《たいかん》式が終わったら、時間を見つけて、またいっしょに屋根裏部屋に行ってみましょう」エルサが明るい声でいうと、オラフの目がぱっと輝《かがや》いた。

「屋根裏部屋に行くだけじゃなくって、戴冠式が終わって女王になったら、エルサのすばらしい天からの贈《おく》り物について、みんなに教えてあげられるねぇ」

天からの贈り物。エルサはときどき、自分の力は天からの贈り物というよりも、呪《のろ》いではないかと思うことがあった。この三年間で、力をコントロールする方法を少しだけ身につけたけれど、それができるのは、意識してなにかをつくり出そうとするときだけだ。たとえば雪の小山とか。でも、不安になってとりみだしたりすると、どんなにがんばっても氷が出たり、雪が降《ふ》ったりするのをとめることができない。「そのことについては、だまっていたほうがいいと思うわ」

「なんで？　こんな暑い夏の日に雪が降《ふ》ったら、みんなよろこぶと思うなぁ」オラフは窓《まど》のほうへ歩いていった。頭の上の雪雲もくっついていく。そして窓から外を見ながらいった。「ほら、あそこで戴冠式の準備をしてる人たち、みんな日に焼けて暑そうだよ。わあ、見て！　エルサの旗があっちにもこっちにもたくさんあるぅ！　おーい、そこにいるみんな！」

エルサはオラフの腕《うで》を引っぱって、窓のそばからはなした。「氷をつくれる女王なんて、王国のだれもよろこばないわ」

「アナはエルサに氷をつくってもらうのが好きだったよ」

オラフはときどき、こんなふうにいう。エルサがアナを知っていてとうぜんというように、アナの名前を会話にまぜるのだ。でも、エルサがアナについてきくと、会話はたちまち行きづまってしまう。

「ねえ、わたしがアナのためにあなたをつくったのはいつ？」エルサはまた同じ質問をしてみた。

オラフはうれしそうに両手をパチンと合わせた。「それはね、えっとぉ……」少しこまったような表情になる。「あれぇ？　思い出せないや」

エルサはがっかりしながらもほほえんだ。「いいのよ。いつか思い出すわ」

オラフはうなずいた。「じゃあ、またいっしょに戴冠《たいかん》式の練習をしようよ」

エルサはためらいがちにいった。「うまくできるか自信がないわ。それに、ゲルダが待ってるし」

「だいじょうぶ。今度こそできるよ！」オラフはエルサをはげました。「ぼくにはわかるんだ」

「そうね」エルサは机《つくえ》に歩いていって、小さな磁器《じき》の小物入れとろうそく立てを見おろした。このふたつをそれぞれ宝珠《ほうじゅ》と王笏《おうしゃく》＊12に見立てて戴冠式の練習をしていた。戴冠式では、宝珠と王笏をもつことになっている。父も戴冠式では同じようにしたはずだ。これまで何度も繰《く》りかえしたように、目を閉《と》じて、戴冠式の日の大聖堂《だいせいどう》にいる自分を思いうかべる。大聖堂のバルコニーでは聖歌隊《せいかたい》が歌い、祭壇《さいだん》の前には司教《しきょう》がいて、会衆席《かいしゅうせき》は王国の民《たみ》や貴族《きぞく》や賓客《ひんきゃく》たちでうまっている。父と母はおらず、エルサはひとりで祭壇の前に立っている。司教が宝石《ほうせき》でかざられた王冠《おうかん》をエルサの頭にのせるところを想像するとき、父と母がいないことについては考えないようにした。つぎに、司教は宝珠と王笏をのせたクッションをエルサに差し出してくる。戴冠式のときは手袋《てぶくろ》をはめることはできないので、練習のときにも手袋を外していた。エルサはこのところずっと、青緑色の手袋をはめていた。ばかげているかもしれないが、手袋をはめていれば魔法《まほう》の力をかくせるような気がするのだ。いつも自分にいいきかせている言葉を心のなかでつぶやく。かくしとおすのよ。魔法の力を感じてはだめ。だれにも知られてはだめ。

「あともう少しだよ」オラフがはげますように声をかける。

ここからがいちばんむずかしい。ふるえる手をのばして片手《かたて》で磁器の小物入れを、もう片方の手でろうそく立てをつかんでもちあげる。このふたつをもっているあいだに、司教が唱《とな》えることになっている言葉をささやく。「まごうことなき継承者《けいしょうしゃ》として……教義《きょうぎ》と行政《ぎょうせい》の守り手として、本日このときより、あなたは……アレンデール王国のエルサ女王となります」

そして、宝珠《ほうじゅ》と王笏《おうしゃく》を手にしたままふりかえり、「アレンデール王国のエルサ女王！」と繰《く》りかえし唱える人びとのほうを向かなければならない。

「アレンデール王国のエルサ女王！」オラフがさけぶ。

エルサは息をつめながら自分にいいきかせた。わたしにはできる。わたしにはできる。わたしにはできる。でも、落ち着こうと意識すればするほど、手がふるえてしまう。オラフが心配そうな顔で見まもっている。

そのとき、手のひらに氷のつぶがあらわれて、磁器《じき》の小物入れの底が凍《こお》りはじめた。ろうそく立ても凍っている。エルサは小物入れとろうそく立てをさっと机《つくえ》に置き、急いで手袋をはめた。

「あともう少しだったね」オラフが歯を見せてにこりと笑った。「あとでまたやってみようよ」

何度やってもうまくいかないわ、とエルサはオラフにいいたかったがだまっていた。戴冠《たいかん》式は数日後にせまっているのに、魔法《まほう》の力を出さずにぶじにやりとげられるのだろうか……。

エルサの不安をよそに、オラフはもう、とことこと元気に動き出していた。「ほら見て！　きれいなお花だねぇ。とーってもいいにおい」オラフが花のにおいをかぐと、大きなくしゃみが出た。「だれからのプレゼントかなぁ？」

「たぶん、あの人からよ」エルサは紫《むらさき》のヘザーの花束《たば》のあいだにはさまれたカードをぬき出して、メッセージを目で追った。

昨日もきみと、とても楽しい時間をすごせました。もしよろしければ、今日の午後もいっしょに庭を散歩しませんか？　大切な日をひかえたきみの心を、少しでもなぐさめられますように

エルサは思わず笑顔になった。

「王子はほんとにエルサが好きだねぇ！」エルサの後ろからカードをのぞいていたオラフがいった。「まちがいないよ」

「そうかしら」

「だって、この王国に来てから毎日、エルサを散歩にさそってるよ！　チョコレートやお花をプレゼントしてくれるし、それに本もこーんなにたくさん！」

「そうね」王子はいつも自分の読んだ本について話してくれる。エルサに負けないくらい読書が好きで、一冊《さつ》読みおえるたびに、一輪《りん》の押し花を本にはさんでエルサの部屋までとどけさせるのだ。

王子がウェーゼルトン公爵《こうしゃく》に同行してアレンデール王国にやってきたのは、数か月前のことだった。エルサは初めて王子と会ったとき、なんて気が合うのだろうとおどろいた。いまもその気持ちに変わりはない。ずうずうしい公爵とちがって、王子は礼儀《れいぎ》正しく、エルサが人と親しくなるのに時間がかかる性格だということをわかってくれているように思える。エルサが女王になるために学んでいることについてたずねるときは言葉を選んでいるようで、ぶしつけな質問をすることはなかったし、歴史や建築《けんちく》学について意見を交わすのが好きなようだった。エルサの一族がどのようにして何十年ものあいだアレンデール王国を統治《とうち》してきたかについて、ふたりで何時間も話し合ったこともある。王子の生まれ育った王国を王子の一族が治めるようになったのは比較的最近なので、王子は貿易や外交問題について熱心にエルサの意見を聞きたがった。ふたりはとても親しくなっていたが、エルサには王子に話していないことがまだたくさんあった。

衣装《いしょう》部屋とつながるドアの向こうからノックの音がした。「エルサ王女、準備はできましたか？」

「いま行くわ！」エルサはそう答えると、ふりかえってオラフを見た。

オラフはエルサを見返した。「どうすればいいか、ぼく、わかってるよ。この部屋から出ないで静かにしてる。もし、だれかが来たらかくれる。少し掃除《そうじ》でもしてようかなあ。この部屋ちょっとほこりっぽいし」

オラフのいうとおりだった。両親が亡《な》くなったあと、だれかを部屋に入れて掃除をしてもらったことがないから、たしかにほこりっぽいし、少しかびくさい。「いい考えね。飽《あ》きてしまったら、ホープチェストのなかを見てもいいわよ。もう必要ないものもあるかもしれないからたしかめてくれる？　そういえば、何年もそのなかを見てない気がするわ」

オラフはうなずいた。「わーい！　ぼく、ホープチェストって大好きぃ」すぐさまホープチェストへ駆《か》けていって、ふたを開ける。「すっごーい！　いろんなものがつまってるぅ」

これでしばらくは安心だわ。ほっと胸《むね》をなでおろし、エルサが衣装部屋に入っていくと、ゲルダがしんぼう強く待ってくれていた。ボディスタンドの横に立ち、エルサが戴冠《たいかん》式で着ることになっているドレスを手にとってながめている。大切な日に向けて、あらゆる方面で念入りに準備が進んでいた。

ゲルダが笑みを浮《う》かべた。「女王にふさわしいドレスだとお思いになりませんか?」

エルサは笑みを返した。ほんとうは歩くとき重いし、襟《えり》が高くて首を動かしづらくて、このドレスを着るたびに息が苦しくなってくる。でも、それをゲルダにいうのはためらわれた。「ゲルダが用意してくれるものは、なんでもきれいよ」と代わりにいうと、部屋のなかを見まわした。

このこぢんまりとした衣装部屋はエルサのお気に入りの場所だった。とくに好きなのは、落ち着いた色合いの青い壁紙《かべがみ》だ。白い巾木《はばき》がアクセントになっていて、床《ゆか》のじゅうたんと同じ紫《むらさき》と黄色を使った花の図柄《ずがら》のローズマリングが施《ほどこ》してある。エルサはいまでもときどき、着がえたり服をしまったりするだけの部屋があてがわれているなんて贅沢《ぜいたく》だと思うことがあった。でも、そのおかげで、こういったときにもオラフが見つからなくてすむのだ。

「さあ、最後の衣装合わせを始めましょうか」ゲルダがいった。

エルサは戴冠《たいかん》式用のドレスに着がえるために、衝立《ついたて》の後ろに行った。着がえて出てくると、ゲルダは大きな三面鏡《さんめんきょう》の前に置かれた木の踏《ふ》み台にエルサを立たせた。ドレスの最後の調整をするためだ。

そのとき、衣装部屋のドアをノックする音がした。「入ってもよろしいですか?」ピーターセン卿《きょう》の声だ。

「ええ」エルサとゲルダが同時に答えた。

ピーターセン卿は、戴冠式用のドレスを着たエルサを見たとたん泣きそうな顔になった。「エルサ、なんて美しい。ご両親にこのすがたをひと目、見せてあげられたら……」

エルサはピーターセン卿の手にふれた。「そうね。きっと誇《ほこ》りに思ってくれるわ」

ピーターセン卿は青いジャケットのポケットからハンカチをとり出し、笑顔でいった。「ああ、そうだね。わたしもエルサを誇りに思うよ」

この三年間で、ピーターセン卿はずいぶんと老《ふ》けこんだ。ふさふさだった黒い髪《かみ》は薄《うす》くなって白髪《しらが》もまじり、いつもつかれた顔をしている。国王と王妃《おうひ》が亡《な》くなって重責を負うことになったのは、エルサだけではない。でも、もうすぐ、ピーターセン卿が国政を担《にな》う立場から退《しりぞ》くときがくる。それと同時に、エルサは一生をかけて、この王国を率《ひき》いていかなければならなくなるのだ。魔法《まほう》の力をずっとかくしつづけることができるだろうか……。

手袋《てぶくろ》のなかの指先が、またひりひりしだしたので、ゲルダからそっと手を遠ざけた。ゲルダはドレスの腰《こし》のあたりの縫《ぬ》い目を繕《つくろ》っている。

「ドレスの準備はこれでととのいました。エルサ王女もどうか自信をお持ちになって」ゲルダはだいじょうぶですよ、と安心させるようにいった。

そのとき、エルサの寝室《しんしつ》とつながっているドアの向こうから大きな物音がした。それにかぶさるようにして甲高《かんだか》い音も響《ひび》く。

ピーターセン卿がけげんな顔をした。「エルサ、寝室にだれかいるのかい？」

エルサは木の踏《ふ》み台からおり、寝室のほうへあとずさりしはじめた。「ごめんなさい。寝室を見にいってもいい？　窓《まど》を開けっぱなしにしてきたから、鳥がとびこんできたのかもしれない」もう、オラフったらなにしてるの？「たしかめてくるわね」

「わたしも行って、お手伝いしましょうか」ゲルダがいった。

「ひとりでだいじょうぶよ！」思っていたより声の調子が強くなってしまった。「すぐにもどるわね」

エルサは急いで寝室に入って、すぐにドアを閉《し》めた。ふりむくと、オラフはホープチェストの中身《なかみ》をぜんぶ出していた。紙やドレスや小さなアクセサリー、思い出の品《しな》やなんかが、床《ゆか》じゅうに散らばっている。オラフはなにかの前にかがみこんでいるが、エルサの立っている場所からだとよく見えない。オラフはそれをもちあげようと、大きなうなり声を出していた。

「オラフ！」エルサはささやき声でいった。「いったい、なにしてる――あっ！」

オラフは緑の箱を見おろしていた。父が旅に出る前にくれた鍵《かぎ》のついた箱だ。エルサの目から涙《なみだ》があふれ出す。「この箱のことをずっとわすれていたわ」

オラフがたずねた。「これって贈《おく》り物なの？　重くてなかなかもちあがらないんだ」

「そうね、贈り物といってもいいかもしれない」ふたに描《えが》かれているローズマリングの金色と白のクロッカスを見つめていたら、心があたたかくなった。エルサはふたのてっぺんの金の紋《もん》章《しょう》に指先でふれた。「お父さまがまだ生きていて国王だったころ、これと同じ箱を使っていたの。そして、女王になったら使いなさいといって、これをくれたのよ。まさにいまがそのときね」

「なかにはなにが入ってるのぉ？」オラフがわくわくした声できいた。

この箱のふたを開けるのは何年ぶりだろう。ふたをもちあげると、なかはからっぽだった。内側は濃《こ》い緑色のベルベットの布でおおわれている。

「なんにも入ってなーい」オラフがつまらなそうな顔をした。

「エルサ王女？」衣装《いしょう》部屋から声が聞こえた。

「いま行くわ！」エルサは机《つくえ》の上に鍵のついた箱を置いた。「この箱を見つけてくれてありがとう。もう少し待っててね」オラフにそういって衣装部屋にもどると、ゲルダが待ってくれていた。「やっぱり鳥だったわ。とんでいってしまったけれど」

「お着がえなさったらいかがですか？　そのドレスはつるしておきますから」ゲルダがいった。

「ピーターセン卿はご用事があってお帰りになりましたが、べつのお客さまが部屋の外でお待ちですよ」

エルサは衝立《ついたて》の後ろでさっと着がえた。少しのあいだだったら、オラフをひとりにしてもだいじょうぶよね？　今日は天気もいいし、庭を散歩してみたい気分だった。着がえを終えて衝立から出てくると、ゲルダが客をむかえられるよう、衣装部屋のドアを開けた。開ける前から、エルサにはその客がだれだかわかっていた。

その人物は深々《ふかぶか》とおじぎをした。「アレンデール王国のエルサ王女、お目通りがかなってうれしいです」ひじを曲げてエルサにつき出す。「ごいっしょに散歩にまいりませんか？」

エルサはその人物の腕《うで》をとった。「よろこんで、サザンアイルズ王国のハンス王子」

＊12 王権《おうけん》の表象として王・女王が儀式《ぎしき》でもつ笏《しゃく》

10 ＊ ハンス

「会うたびに、そんなにていねいにおじぎをする必要ないわ、ハンス」エルサがほほえんだ。

ハンスはとっておきの笑顔を見せると、ため息をついた。「なかなか習慣がぬけなくてさ。時間がたてば、きっと自然とやめられると思うよ」

この数か月間、ハンスはエルサと多くの時間をすごしてきた。

ハンスは気を長くもつことにした。

聞き上手であろうと心がけた。

落ち着いて行動し、どうふるまってなにを話すか、慎重《しんちょう》に考えてから実行にうつすようにしていた。アレンデール王国の王女が人と親しくなるのに時間がかかる性格だということにも、すぐに気づいた。

両親を一度に失うという悲しい経験をしたのだから、エルサがそのショックからまだ立ちなおっていないのはわかりきったことだった。それに、エルサにはたよれるきょうだいもいない。あれほどのつらいできごとのあと、エルサがどのような生活を送ってきたのか、ハンスには見《けん》当《とう》もつかなかった。こんなに広くてがらんとした城は、まるで墓場のように感じられるにちがいない。

昨年の秋、サザンアイルズ王国にやってきたウェーゼルトン公爵《こうしゃく》は、アレンデール王国の王女について長々《ながなが》と話した。王女は両親を亡《な》くし、いずれは王位をつぐことになるという。ハンスの十二人の兄たちはどうでもいいような顔をしていたが、ハンスはじっくりと話を聞いた。兄たちが興味《きょうみ》をしめさないのももっともだった。兄たちはすでに、自分の居場所を見つけていたからだ。ハンスの一族が統治《とうち》しているいくつかの島のうちのどれかを治める予定の者もいれば、いい結婚《けっこん》相手を見つけて、ゆくゆくはべつの国の王座《おうざ》につくことになっている者もいたが、十三人兄弟の末っ子のハンスには、王座につける望みはほとんどなかった。兄弟のなかでハンスだけが、自分の居場所を見つけなければ、と切実に感じていた。アレンデール王国の王女こそ、ハンスにとって、それを実現するための手だてなのだ。その場ですぐに、アレンデール王国の王女に会いにいこう、と決めた。ウェーゼルトン公爵は油断《ゆだん》のならない人物だが、いつも仕事上の新しいパートナーをさがしているので、ハンスの申し出を聞いてよろこんだ。ハンスは公爵に同行して海をわたり、それ以来こうしてアレンデール王国に滞在《たいざい》している。

もちろん故郷《こきょう》の南の島々《しまじま》や、聡明《そうめい》な父（いつも）や兄たち（ごくたまに）が恋《こい》しくなることもある。ハンスの生まれ育った王国は、アレンデールよりもあたたかく緑が豊かだ。だが問題は、その愛する王国は、自分のものにはならないということだった。

だが、アレンデール王国はちがう。自分のものになる可能性がある。

前庭に面した窓《まど》から、いそがしそうに動きまわる人びとや、エルサの戴冠《たいかん》式のためにかざられた旗を見つめた。あの悲しいできごとから三年という長い時を経《へ》て、ようやくこの王国に新しい女王が誕生《たんじょう》しようとしている。

さらに国王もいたら、この王国の民《たみ》はもっとよろこぶのではないだろうか。まだ正式に結婚《けっこん》を申しこんだわけではない。いきなりそんなことをして、エルサをおどろかせて逃《に》がしたくはないからだ。だが、ふたりの距離《きょり》が縮《ちぢ》まっているのはまちがいない。

「さあ、行きましょう」とエルサがいったとき、寝室《しんしつ》から大きな物音がした。エルサが顔をしかめる。「きっと、なにかが落ちたのよ。心配するほどのことじゃないわ!」

エルサはたくさんの秘密《ひみつ》をかかえている。ハンスは、そんなミステリアスなエルサに関心をよせずにはいられなかった。「散歩でいいかい?」

エルサはうなずいた。「ええ。あなたがいっていたとおりよ。外の空気にあたると、気分がよくなるわ」

「そうだね」とハンスは答え、ふたりは一瞬《いっしゅん》、見つめ合った。

いまその目に映《うつ》っている人物を、エルサが好きでいてくれたらいいのに、とハンスは願った。ハンスは赤みのある栗色《くりいろ》の髪《かみ》をしていた。それに、マトンチョップ[*13]を生やしていた。兄たちのだれもこんなひげは生やしていないので、ハンスはいつも兄たちからそのことをからかわれていた。だが、母は、よく似合ってるわ、といってくれる。兄たちはみな濃《こ》い茶色の目をしているが、ハンスだけは母と同じ薄《うす》茶色だ。エルサよりも十数センチ背《せ》が高い。すらりとしていて、兄弟のなかでもいちばんののっぽだ。エルサを見ていると、おずおずとして、すぐにびくりとする鹿《しか》を思い出す。その大きな青い目は、いつも悲しみをたたえていた。

ハンスは長い廊下《ろうか》をエルサと歩きながらいった。「いまふと思いついたんだけど、庭は人がおおぜいいるからやっぱりやめて、もっと静かなところへ行くのはどうだろう。たとえば厩舎《きゅうしゃ》とか。しばらくシトロンに会いにいってないんだ」

「厩舎……」エルサはつぶやいた。エルサがハンスの愛馬《あいば》シトロンを好きなのはまちがいない。シトロンはおとなしくて従順《じゅうじゅん》な馬だ。「すてきね」

エルサは廊下の壁《かべ》にかけられた、王家の大きな肖像画《しょうぞうが》の前で足をとめた。絵のなかの国王と王妃《おうひ》がこちらを見おろしている。ふたりはそれぞれ片方《かたほう》の手をおさない娘《むすめ》の肩《かた》にのせているが、この絵のエルサはおそらく八歳《さい》くらいだろう。

肖像画を見ながらハンスはいった。「ぼくはおさないころよく、ひとりっ子だったらよかったのに、とあこがれたんだ。ひとりっ子ってどんな感じ？　雨の日はだれと遊んだ？　宿題をだれかにやってもらったことはある？　雪の日にそり遊びをした？」

「そうね……ひとりでいることが多かったし、宿題はいつも自分でやって早めに提出していたわ」

「ずいぶん優等生《ゆうとうせい》だったんだなあ。ぼくは兄たちのせいで、いつも家庭教師からしかられていたんだ。兄たちが家庭教師の後頭部に紙飛行機をぶつけて、それをぼくのせいにしたりしてさ。前にもいったかもしれないけど、十二人いる兄のうち三人は、ぼくのことが見えないようなふりをしてた。うそじゃない！　それも二年間も！」

エルサは目を大きく見開いた。「そんなのひどい」

ハンスは肩《かた》をすくめた。「兄弟なんて、そんなもんさ」

「わたしにはわからないわ」エルサはそういって目をそらした。

ハンスは質問を続けた。「だが、友だちはいただろう？」

「両親は家臣《かしん》の子どもと遊ばせてくれたわ。貴族《きぞく》をパーティーに招いたときに、その子どもたちと遊んだこともある。けれど、友だちと呼《よ》べる子はいなかった」エルサは悲しげな眼差《まなざ》しでハンスを見た。「わたしの子ども時代は、あなたのより、ずっとさびしいものだったと思うわ」

「そうかもしれない。だが、注目を引こうとだれかと競い合ったり、自分の居場所を見つけようと躍起《やっき》になったりする必要はなかっただろう？」ハンスはいったん口をつぐんでからこう続けた。「たしかにきみの子ども時代はさびしいものだったかもしれないけど、未来はそんなことにはならない。いつか自分自身の家族をもつ日がくるはずだから」エルサは頬《ほお》を染《そ》めてふたたび目をそらしたが、ハンスはかまわず続けた。「それに、王位継承者《けいしょうしゃ》だってふたり以上はほしいだろう？　ご両親はなぜ、きみのほかに子どもをほしがらなかったんだろう」

「母はわたしを産んだあと、子どもを授かることができなかったのよ」エルサは小さな声でいった。「だけど、ときどきわたし……やっぱりやめておくわ。ばかみたいだから」

「話してごらんよ」ハンスは真剣《しんけん》な表情でいった。エルサが心を開くことはめったにない。だが開いたとき、ハンスはあの悲しいできごとが起こる前のエルサがちらりと見えるような気がした。

エルサはあたりを見まわした。「でも、とてもばかげてるの」

「そういうの、大好きさ」というと、ハンスはエルサを自分のほうへ向かせた。

エルサははにかみながら笑い、ハンスの顔をじっと見つめると、話しはじめた。「わたし、ずっと妹がほしいなって思っていたの。こんなことをいうとおかしいと思われるかもしれないけれど、妹がいる自分をよく想像してたのよ。ね？　だから、ばかげてるっていったでしょう」

「ばかげてなんかいないさ。きみはずっとさびしかったんだね」ハンスがエルサの手をにぎると、エルサはおどろいたようにハンスを見つめた。「だが、これからはもう、さびしがる必要なんかない」

エルサはハンスの手をにぎりかえした。「わたし、あなたと話すの好きよ」

「そういってもらえると、うれしいよ」ようやく一歩前進したぞ！　「ぼくはずっと自分の居場所をさがしてたんだけど、きみといると、自分のいるべき場所を見つけられたように思えるんだ」エルサがなにかいおうと口を開く。

そのとき、廊下《ろうか》の先で扉《とびら》がばたんと閉《し》まる音がし、ピーターセン卿《きょう》とウェーゼルトン公爵《こうしゃく》が出てきた。ふたりともハンスとエルサに気づいていない。

「王女を呼《よ》んで、もう一度、戴冠《たいかん》式のスピーチの練習をさせたほうがよろしいですな」公爵の声だ。「それも、いますぐに」

エルサがあとずさりする。ハンスはエルサの手をぎゅっとにぎり、開きっぱなしになっていた扉の陰《かげ》に引っぱりこむと、そのまま駆《か》け出した。笑いながら、肖像画《しょうぞうが》の間《ま》やほかの部屋を走りぬけていき、ふたりは日の光の差す広々《ひろびろ》とした場所に出た。

ようやく厩舎《きゅうしゃ》のそばまでたどりつくと、エルサは立ちどまって呼吸《こきゅう》をととのえた。「こんなに思い切り走ったのっていつ以来かしら」と笑いながらいう。

「きみも、たまには気晴らしが必要さ」ハンスはいった。それこそ、ハンス自身が求めているものだが、わざわざ口には出さなかった。

エルサは両手を広げ、くるくるとまわった。「なんて自由な気分なのかしら！」

こんなふうに伸《の》び伸びとしたエルサを見るのは初めてだった。まさに、ハンスが求めていたエルサそのものだ。

ハンスは厩舎まで歩いていき、馬房《ばぼう》のドアの上半分を開けた。すぐさま馬たちが頭をつき出し、シトロンもあらわれた。白と黒のたてがみが風にやさしくなびく。ハンスがシトロンのたてがみをなでているあいだ、エルサはその黄白色《こうはくしょく》の月毛《つきげ》をなでていた。ふたりともしばらくシトロンを見つめていた。厩舎は静けさにつつまれている。

やがてハンスが口を開いた。「こんなことをいったらおかしいと思われるかもしれないが、ぼくは初めて出会ったよ。きみみたいに――」

「気が合う人と？」エルサがハンスのいおうとしていたことを先んじていった。そんなことをした自分におどろいているようすだったが、ハンスもおどろいた。ぼくに打ちとけはじめているということかもしれない。

「ああ」ハンスはさぐるようにエルサの顔を見た。「きっと、ぼくときみはこうして出会う――運命だったのかもしれない」エルサが、またもやハンスがいおうとしていたことをいった。

ふたりは笑い出した。思っていたよりも、正式に結婚《けっこん》を申しこめる日は近いかもしれない。

「公爵《こうしゃく》がいまのわたしたちの会話を聞いたら、きっと大よろこびするわね」エルサが苦笑いしながらいった。

エルサの言葉を聞いて、ハンスはがぜん張り切った。シトロンのわき腹《ばら》をなでながらこう続ける。「それにピーターセン卿《きょう》も。あのふたりが話してるのを聞いたんだ。ぼくときみはお似合いのふたりだって」この王国を導いていくのに。ハンスはエルサにこっそり目をやった。

「ふたりがそんなことを？」エルサの表情からは、なにを考えているのか読みとれない。

きみだって、ほんとうは気づいているはずだ。ハンスはそう口に出したかったが、だまっていた。そうはいっても、ずいぶんと前進した。一週間前とくらべて、ふたりの距離《きょり》は確実に縮《ちぢ》まっている。「だが、大事なのはあのふたりがどう思ってるかではなく、ぼくたちがどう思っているかだ」ハンスはエルサにまたちらりと目をやった。

「そのとおりね。でも、いまはまだ、この瞬間《しゅんかん》のわたしたちのような関係を続けられたらいいなと思ってる」

ハンスはがっかりした顔を見せないようにした。「ぼくもだよ」

公爵《こうしゃく》は、結婚《けっこん》の申しこみは戴冠《たいかん》式の前のほうがいいと思っているみたいだが、それはかなりむずかしいだろう……。だが、あせる必要はない。ハンスは心ひそかに、そう遠くない未来に自分とエルサがこのアレンデール王国を治めることになるだろう、と確信していた。

エルサが賢《かしこ》い人物なら、ぼくに主導権《しゅどうけん》をにぎらせるかもしれない。もしそうならなくても、思いがけない不幸な事故が起きることもありえる……アレンデール王国が繁栄《はんえい》を続けていくためには、新しい国王がいればじゅうぶんだ。

*13　こめかみの部分はせまく、下あごのあたりは広くまるみを帯びるように生やした頬《ほお》ひげ

11 アナ

さあ、いよいよだ！　待ちに待った日がようやく来た！

アナは、カレンダーに描《か》きこんだ大きな赤い丸をじっと見つめた。興奮《こうふん》のあまりさけび出しそうになったので、ベッドの上の枕《まくら》をつかんで顔をうずめ、枕に向かってもごもごとわめいた。

三年間もこの日を待ちのぞんでいたんだから！

三年間、計画をねり、指折り数え、夢見ていた。

三年間、両親にどう切り出せばいいか、ずっと考えていた。

でも三年たったいまも、自分の立てた計画について両親になんといえばいいのか、まだ答えを見つけられないでいた。

母さん、父さん、あたしはもう十八歳《さい》よ。

いままで数えきれないほど、頭のなかで練習を繰《く》りかえしてきた。

もう大人。そろそろ自分の人生を始めてもいいと思うの。だから……だから……。

いつもかならず、ここでとまってしまう。

ハーモン村をはなれたいと両親に伝える場面を想像するたびに、おなかがきりきりと痛《いた》み出す。だって、大切な両親なのだ。まだ赤ちゃんだったあたしを養女にむかえ、たくさんの愛情をそそぎ、大事に育ててくれた。そんなふたりを傷《きず》つけたくない。

フレイヤがここにいてくれたらいいのに。

そう思ったことは一度や二度じゃない。フレイヤが国王と王妃《おうひ》といっしょに海で遭難《そうなん》してから三年という時が流れたけれど、フレイヤを思い出さない日はなかった。アレンデールはアナが新しい生活を始めるのにふさわしい場所だ、と母さんと父さんを説得できる人がいるとすれば、それはフレイヤしかいない。それに、母さんと父さんだって、娘《むすめ》の近くに家族のように見まもってくれる人がいるとわかれば安心できるはず。

でも、フレイヤはもういない。自分で道を切りひらくしかない。

おさないころからお気に入りのピンクの壁紙《かべがみ》の部屋は、少し子どもっぽく感じられるときもあるけれど、いまでもすみからすみまで大好きだ。窓辺《まどべ》の長椅子《ながいす》はとくに気に入っていて、ここからなら山の下の暮《く》らしをぞんぶんにながめることができる。あたしにとって、アレンデールは近いようでとても遠い場所……。父さんがつくってくれた木製のアレンデール城の模型《もけい》の尖塔《せんとう》に指先でそっとふれた。目から涙《なみだ》がにじみ出る。母さんも父さんも、あたしをとても大切に思ってくれている。そんなふたりを傷つけずに伝えるにはどうすればいい？

そうだ、食べ物！

これなら、うまくいくことまちがいなし！

いままででいちばんおいしいケーキをふたりのために焼こう。うちのパン屋にはならんでいないケーキがいい。ケーキを食べておなかが満たされて幸せな気持ちになったら、ふたりともアレンデールに行きたいというあたしの話をきっと最後まで聞いてくれるにちがいない。だったらぜったいにあれがいい。そう、ニンジンケーキ！

前に一度、父さんのためにニンジンケーキを焼いたことがある。父さんはとても気に入ってくれ、一週間、毎日、ニンジンケーキを食べつづけた。砂糖《さとう》のとりすぎだよ、と文句《もんく》をいう母さんに、父さんは「わしはパン屋だぞ！　砂糖はとりすぎてるに決まってるじゃないか！」といいかえした。三人で大笑いし、ニンジンケーキはアナがつくるケーキのなかでいちばんだ、と意見が一致《いっち》したのだった。

父さんと母さんを説得するために焼くとしたら、ニンジンケーキ以外に考えられない。

時計を見る。午前中ずっとパンを焼きつづけたあと、いまはふたりとも休憩《きゅうけい》中で、居間《いま》でくつろいでいるはずだ。ひょっとしたら父さんは、お昼寝《ひるね》をしているかもしれない。こっそり材料を買いにいき、すぐにもどってケーキづくりにとりかかろう。いまからつくれば、夕食に間に合う。夕食にケーキを食べるなんてすてき！　一度やってみたいと思ってたの！

そっと外に出た。夏の強い日差しがふりそそぐなかを歩きながら考える。えっと、どんな材料が必要なんだっけ？　ニンジン以外は家にあるはずよね？　だってうちはパン屋なんだから。材料を思い出すのに気をとられながら、前をあまりよく見ずに進みつづける。ニンジンのほかになにか必要なものはあったか――**うわっ！**

アナは大きな氷のかたまりをかかえた若者《わかもの》の背中《せなか》にどしんとぶつかった。その反動で氷がふっとび、地面に落ちて食料雑貨店の前で粉々《こなごな》にくだけちる。

「おい！」若者が大きな声でいった。「弁償《べんしょう》してもらうからな――」とふりかえった若者は、アナを見てびっくりした顔になった。「おっ」と目を大きく見開き、あとずさる。「きみか！」

「えっ、あなただったの！」アナもびっくりした顔になる。三年前に会ったこの若者のことはいまでも覚えている。どこかにいないか何度かさがしたこともあったけれど、あれ以来、見かけたことはなかった。「あのとき、トナカイに話しかけてた少年だよね」

まるでタイミングを見計《みはか》らったかのようにトナカイが近づいてきて、若者の背中をつついた。

「もう少年じゃない。それに、トナカイがいいたいことを代わりにしゃべってるだけだ。こいつの名前はスヴェン。ニンジンを食べたがってたんだが、きみのせいで売り物の氷が割《わ》れちまったから、おあずけだな」

トナカイがブルンと鼻を鳴らした。

若者はトナカイのほうを向き、声をひそめてぶっきらぼうにいった。「態度が乱暴《らんぼう》だと？　この子が氷を割っちまったせいで、ニンジンが買えなくなったんだろう」トナカイがさらに大きく鼻を鳴らす。「わかったよ！」若者はアナのほうを向いた。「スヴェンが、きみに失礼な態度をとるなってさ」足もとを見つめながらこうつけくわえる。「悪かったな……きみのせいなのはまちがいないが」

「わざとじゃない」アナはいった。若者のぼさぼさの金髪《きんぱつ》の下の茶色の目に思わず目がすいよせられる。ふたりは一瞬《いっしゅん》、見つめ合ったが、どぎまぎして目をそらした。アナはこう続けた。「よかったら、おわびにクッキーをあげる。じつはあたし、この村でいちばんおいしいクッキーを焼けるの」

トナカイが足を高くあげてとびはねた。

「ああ、きみにしかつくれないクッキーがあるんだってな」若者がさりげなくいった。

「どうしてそんなこと知ってるの？　あたしのこと、だれかにきいたわけ？」

若者《わかもの》は毛糸の帽子《ぼうし》をぐいっと下に引っぱった。「べつに。そうかもな」

アナは頬《ほお》を赤らめた。「あたしはアナ。〈トーマリーのパン屋〉の娘《むすめ》よ。あなたは？」

「クリストフ」というと、クリストフはトナカイのほうを向いた。「スヴェン、氷をまたとってこなきゃな――」

そのとき、食料雑貨店からゴーランが出てきて、地面に散らばっている氷の破片《はへん》を見たとたん、両手で頭をかかえた。「なんてこった！　朝からずっと待ってたんだぞ！」

アナはしまった、というふうに顔をしかめた。ゴーランは、アナが物心《ものごころ》つく前からこの食料雑貨店を経営している。お金だけではなく、物での支払《しはら》いにもいやな顔をしないので、アナの両親はとてもありがたがっていた。お金をもってくるのをわすれたアナが、たまたまもっていたシナモンロールを、代金の代わりに受けとってくれたことも何度かあった。

「すまない、うっかり手がすべって」クリストフはアナを横目でじろりとにらんだ。「いまからとってくるが、数時間はかかる」

「数時間だと？　いま必要なんだ。この暑さのなか、食料品を冷やすのにな！」ゴーランが文《もん》句《く》をいった。

「今日の午後のなるべく早い時間にはもってくる。だが、先に必要なものをもらえたら、もっと時間を早められるかもしれない。ピッケルの刃《は》がだいぶ鈍《にぶ》くなっちまったし、スヴェンがニンジンを食べたがってて」トナカイが鼻を鳴らした。

ゴーランは胸《むね》の前で腕《うで》を組んだ。「だめだ。氷と交換《こうかん》でなければ、なにもわたせない」

「だが、前はそうしてくれたこともあったじゃないか」クリストフがいらついた声でいった。「たのむよ！」

「今日はだめだ！　いま氷がほしいんだ」

「ゴーラン、お願い。シナモンロールを――」といいかけたアナをクリストフがにらみつけた。

「ちょっとさがってろ。この石頭《いしあたま》とは、おれが話をつける」

ゴーランがむっとして目を細くし、胸を反《そ》らせた。ゴーランがこんなにも大きかったことに、アナはいま初めて気づいた。クリストフよりも背《せ》が高い。「石頭だと？」

クリストフはゴーランの顔に自分の顔を近づけた。「ああ、そう――」

アナはふたりのあいだに割《わ》ってはいった。「ごめんなさい。ぜんぶあたしのせいなの！　クリストフがピッケルを手に入れれば、ゴーランが必要な氷が手に入りやすくなるのよ。お願い、あたしが代わりになにかするから」

「きみの助けは必要ない」クリストフがいった。

「ふんっ、ほんとは、のどから手が出るほど助けがほしいくせに強がりやがって」ゴーランが不機嫌《ふきげん》な声でいいかえす。

「そうだ、ゴーラン、ニンジンとピッケル代は、いったんあたしにつけておくってことでどう？ あたしもちょうどニンジンがほしかったの。店にもどってシナモンロールをとってくるから機嫌を直して。それで、クリストフはなるべく早く氷をもってかえる」アナはゴーランとクリストフを交互《こうご》に見た。「ふたりとも、それでいい？」

ゴーランは無言《むごん》のままアナにニンジンの束《たば》を手わたすと、ピッケルをとりに店のなかに入っていった。アナはほっとして、クリストフにほほえみかけたが、クリストフはむっとした顔のままだ。

「施《ほどこ》しを受けるつもりはない」クリストフがいった。

「だれが施しするなんていった？ 氷をとってもどってきたら、ニンジンとピッケル代としてゴーランにわたすんでしょ。あたしはそのあいだ、ちょっと肩代《かたが》わりをするだけ。もし、その肩代わりのお礼がしたいっていうのなら、どこに行けばあたしを見つけられるか知ってるはずよ」アナはニンジンの束をふたつに分けると、半分をクリストフにわたし、トナカイの頭をなでた。「またね、スヴェン！」

アナはスキップするようにして家までもどった。クリストフとはまた会えるような気がしていた。

いまはとにかくニンジンケーキをつくらなきゃ。ケーキづくりを早く終えられれば、それだけ早くアレンデール行きの話をすることができる。アナがパン屋の作業場で必要な材料とその分量を頭に思いうかべていると、両親が話をしながら入ってきた。

「なんにも変わってない、ヨハン。あれからもう三年もたつというのに！ このままじゃきっと、ずっとなにも変わらないままだよ。でも、あの子にはほんとうのことを知る権利《けんり》がある」母がいった。

「だれにほんとうのことを知る権利があるの？」アナはボウルや計量スプーンを手もとにかき集めながらいった。「ふたりとも、もっと休憩《きゅうけい》するんだと思ってた。せっかくふたりをおどろかすつもりだったのに！」アナは陽気にふるまおうとしたが、両親はそわそわと落ち着かない顔をしている。「ほんとうのことってなに？ あたしのことを話してたの？」

ふたりは顔を見合わせた。

父が気まずそうな表情でいった。「アナ、どうやってこのことを伝えたらいいかわからないんだ。いえば、大事な友人を裏切《うらぎ》ることになってしまうからな」

大事な友人？　裏切《うらぎ》る？「大事な友人ってフレイヤのこと？」

母がうなずいた。「フレイヤは、あたしのいちばん古くて大事な友だちだからね……それはこの先も変わらない」

「そうね」アナはうなずいた。母さんはフレイヤを失った悲しみからまだ立ちなおっていない。アナもそうだった。「あたしも、フレイヤを思い出さない日はないもの」

「おまえもか？」父がいった。

「もちろん。それで今日は、父さんと母さんに元気を出してもらおうと思って、ニンジンケーキをつくろうとしてたところだったの。それと、ふたりに話したいこともあったんだけど、裏切るとかなんとかいうから、なんだか心配になってきちゃった」

母がアナの腕《うで》に手をのばした。「アナをこわがらせるつもりなんてなかったんだよ。父さんと相談してることがあってね――」

「この三年間ずっとな」父が声をしぼり出すようにしていった。

母が続けた。「もうこれ以上、アナにかくしておきたくないんだよ。でも、事情が複雑《ふくざつ》でね」

「アナにはいわない、とフレイヤと約束したんだよ。だが、わしも母さんも、おまえがほんとうのことを知らないまま一生をすごすのもいやなんだ」

アナは目を見開いた。「そのほんとうのことって、あたしと……フレイヤに関することなの？」

父が息をするのが苦しいかのように、かすれた声でいった。「そうともいえるし、そうでないともいえる」

そう聞いて、アナは心の底からこわくなった。「どういうこと？」

母が父にいった。「ヨハン、あたしのほうがフレイヤとはずっと長いつきあいだったんだから、あたしがいうよ。もし、この呪《のろ》いがとけなかったら、アナは――」

「呪い？」思わず動かしたアナの腕がボウルにあたってしまい、ボウルが床《ゆか》に落ちて粉々《こなごな》にくだけた。父が壁《かべ》にかかっていたほうきをつかんで片《かた》づけはじめる。「ごめんなさい！　呪いだなんて、そんな話だと思ってなかったから……ほんとうなの？」

母がためらいがちに父を見た「呪いというのは、少しちがうかもしれないね。言葉でいいあらわそうとすると、そうなってしまうというか」

「ぴったりな言葉を使うのってむずかしいものね」

母はアナには答えず、父にいった。「ヨハン、このままずっとだまってたら、アナはもうひとつの家族のことを一生、知らないままになるんだよ」

父はほうきを動かしていた手をとめた。「おまえとわしがアナの家族だ、トーマリー」口調をやわらげてこう続ける。「アナがほんとうのことを知ったからって、なんになるんだ？　知ったところでアナにはなにも変えられない。だれもアナのいうことを信じるわけがないじゃないか」

母の目から涙《なみだ》があふれ出る。「そのとおりだよ。あたしだって、アナを危険《きけん》な目にあわしたくない。だけど、この秘密《ひみつ》を墓までもっていくのはいやなんだよ」

ふたりがなんのことを話しているのか、アナにはさっぱりわからなかった。「あたしの生みの親のことをいってるの？」

母の眉間《みけん》のしわが深くなる。「ああ、そうだよ……」

「フレイヤは、その人たちを知ってたの？」おさないころからずっと不思議に思っていたのだ。どうしてフレイヤは、あたしの人生にこんなにも深くかかわっているのだろうと。フレイヤなら、あたしが知らないことも知っていたかもしれない……。三人で無言《むごん》のまま見つめ合い、部屋に沈黙《ちんもく》がただよう。やがて、アナは意を決したようにいった。「わかった。父さんと母さんがあたしの生みの親を知ってて、それでもいいたくないっていうなら、それでべつにかまわない」アナは手をのばしてふたりの手をにぎった。「だってふたりは、世界でいちばんの父さんと母さんだもの」

父と母が同時にアナを抱《だ》きしめた。アナもふたりを強く抱きしめる。こうやって、抱き合い、笑い合いながら三人で生きてきたのだ。

父がアナを見つめた。父の目にも涙がたまっている。「アナ、約束をやぶって秘密を教えるわけにはいかないんだ。どうかわかってほしい」

「わかってるよ。だけど、あたしにも、父さんと母さんに話さなきゃならない秘密があって」ケーキはできていないけれど、ふたりに秘密を打ちあけるならいましかない。「それは、フレイヤに関係することでもあるの」

母が落ち着きを失った。「まさか……知ってるんじゃ……」

アナは心臓《しんぞう》がどきどきするのを感じた。のどもからからになったけれど、いまさらやめるわけにはいかない。フレイヤはいつもこういっていた。〝自分に正直でいなさい〟と。いまこそ、正直な気持ちをふたりに伝えよう。「あたし、アレンデールで暮《く》らしてみたいの」

父も母も無言のままぴくりとも動かなかったが、アナは続けた。

「ふたりとも、あたしが小さいころからアレンデールで暮らしてみたいっていいつづけてるのは知ってるでしょ。ハーモン村は大好きよ。でもあそこには、あたしがまだふれたことのない、大きな世界が広がってるような気がするの。あの山のふもとには」アレンデールを見わたせる窓《まど》を指さす。「なんの計画もなしに、アレンデールに行きたいっていってるわけじゃない。いつか自分のパン屋を開きたいの。それまでは、城の近くのパン屋で働いてお金を貯《た》める。フレイヤがいってたもの。アレンデールにはパン屋は何軒《けん》もあるって。何軒もよ！　この村みたいに一軒じゃなくて」

両親は口がきけなくなったかのようにだまりこくっている。

「アレンデールが遠いのはわかってる。でも、ハーモン村に帰ってくるし、父さんと母さんもたずねてきて」ふたりがなにもいわないので、アナはさらに続けた。「あたしはもう十八歳《さい》。そろそろ自分の人生を始めてもいいころだと思うの。フレイヤがいつもいってたでしょ。アナはきっとアレンデールを大好きになるわって。フレイヤのいうとおりだと思う」

母がわかったというふうにうなずいたので、アナの胸《むね》は希望であふれはじめた。

だが、父はいきなりこういった。「独り立ちするにはまだ早すぎる」

「もう十八よ」希望を打ちくだかれたアナは、かすれた声でなんとか答えた。

「ヨハン」母が口をはさもうとした。

父は首を横にふった。「トーマリー、おまえだってわしが正しいとわかってるはずだ。女性の成人年齢《ねんれい》は二十一歳なんだから。残念だがアナ、まだ早い。あそこは……おまえには危険《きけん》だ」

母をちらりと見る。「いまはまだ、アレンデールはおまえが住むべき場所ではない。それに、わしらにはおまえが必要だ」

「母さん？」アナは助けを求めたが、母は首を横にふった。

「父さんのいうとおり。あたしたちもだんだん年をとってきてるしね。ふたりだけでこのパン屋を切り盛《も》りするのはたいへんなんだ。それに、いつかはこの店をアナについでもらうのが、ふたりの夢なんだよ」

母の言葉を聞いて、アナの心は大きくゆれた。両親は夜明け前に起きて、毎日パン屋で働きづめだ。それがたいへんなのは、もちろんわかっている。でも、ハーモン村にとどまるのは、アナが思いえがいている未来ではなかった。アレンデールに行け、と直感が告げている。アレンデールにいる自分を夢で見ることだってある。雪と笑い声にあふれた夢だ。ときどき、なぜだかわからないけれど、アレンデールにいるだれかが自分をさがしているように感じることもあった。

アナは声を落ち着かせてこういった。「この店も、父さんと母さんといるのも大好きよ。だけど、あたしはずっと、アレンデールで暮らすことを夢見てきた。もっと大きなことをするために生まれてきたような気がするの。人生は短い。フレイヤを失って、そう気づいたの。だから、もう一日だって待てない。いますぐ新しい生活を始めたい」

母と父が顔を見合わせる。

父が母にきっぱりといった。「だめだ、まだ早い。あそこは危険だ……」

「そうだね」母がアナを見た。「アナが夢見るとおりに、アレンデールで暮《く》らせるよう願ってるし、いつかはきっとそうなるだろう。アナの望みは、あたしたちだってちゃんとわかってるんだよ」アナの手をにぎりしめる。「でも、いまはまだその時じゃない。あたしたちのいうことを信じておくれ」

「わかった」とアナは答えたが、ほんとうはわかってなどいなかった。まばたきして涙《なみだ》をこらえ、唇《くちびる》をぎゅっとかむ。両親の言いつけに背《そむ》いたことなどなかったし、いまも背くつもりはない。でも、あと三年も待つなんて、あまりにも長く感じられた。

12 エルサ

時をとめられる魔法《まほう》が使えればいいのに。エルサは自分の部屋の窓《まど》のそばに立ち、外をながめながら思った。おおぜいの人が、開かれた城壁《じょうへき》の門から前庭にぞくぞくと入ってきて王家のブロンズ像のほうへ歩いていく。大聖堂《だいせいどう》の準備もととのい、何日も練習を重ねてきた聖歌隊《せいかたい》も、いつでも歌い出せるようになっている。わたしが戴冠《たいかん》式の自主練習をする時間はもう残っていない……。不安な気持ちをとめなければいけないのに、どうしてもとめることができない。時を刻《きざ》む音が吠《ほ》えたてるようにせまってくるけれど、時の流れをゆるめる術《すべ》など知るわけがなかった。

ゲルダに手伝ってもらい、すでに戴冠式用のドレスは身につけていた。ドレスはとても美しい。でも、着ていると息が苦しくなってくる。それに、どうしてもしっくりこなかった。まるで自分がめかしこんだ着せかえ人形になったような、自分の体が自分のものでなくなったような気がするのだ。でも、こういいきかせつづけた。このドレスを着るのは数時間だけ。そのあいだだけ、なんとかがまんすればいい、と。あとはもう、呼《よ》ばれるのを待つ以外、なにもできることはない。

時をとめられたらいいのに、ともう一度願ったけれど、そんなことは無理だとわかっていた。

ハンスといるときは、心が安らいでいると感じていたけれど、こうして部屋にひとりでいると、こう考えずにはいられなかった。お父さまとお母さまがそばにいてくれたらよかったのに。わたしひとりでは、とても戴冠式《たいかんしき》をのりきれそうにない、と。

そのとき、うなり声が聞こえてふりかえった。オラフがホープチェストを動かそうとしている。

エルサは駆《か》けよった。「オラフったら！　いったいなにしてるの？」

「アナをさがしてるんだよ。戴冠式の日にアナがいないなんておかしいもん」

エルサはかがみこんだ。悲しみに胸《むね》をふさがれそうになる。「わたしたち、アナがだれかもわからないのよ」

「だけど、アナがエルサに会いたがってるのはわかるよ！」オラフが明るい声でいった。「きっと、アナはこのホープチェストのなかにいるんだよ。だって、ここにかくれるのが好きだったから」

エルサがオラフにどういうことかきこうとしたとき、扉《とびら》をノックする音がした。

いよいよだ。

オラフはエルサに手をのばしてハグした。そして、「がんばってね！」というと、ベッドへとことこと駆けていき、その後ろにかくれた。「エルサがもどってくるのを待ってるから」

エルサが扉を開けると、白の軍服《ぐんぷく》に身につつんだハンスが立っていた。「エルサ王女」ハンスが笑みを浮《う》かべながらいい、ひじを曲げてエルサのほうにつき出す。「大聖堂《だいせいどう》までエスコートいたします。準備はよろしいですか」

まだよ、とエルサはいいたかったが声には出さなかった。でも、ハンスのすがたを見られたのはうれしかった。ハンスは気配りのできる、とても思いやりのある人だ。戴冠式の日、大聖堂までエスコートしよう、と申し出てくれた。エルサがその申し出を受けいれたのは、ハンスといれば心が落ち着くだろうと思ったからだ。

「ややっ、これはこれは！」と声がし、どこからともなくウェーゼルトン公爵《こうしゃく》があらわれた。

「まったく絵に描《か》いたようにお似合いのふたりですな」

けれど、公爵がいたら落ち着かなくなってしまうわ。こんなところで、なにしてるのかしら。

公爵は大きな鼻にのせた細い縁《ふち》のめがね越《ご》しに、ふたりを見あげた。白髪《はくはつ》を後ろになでつけ、きっちりとした軍服すがただ。赤い飾り帯《サッシュ》をななめにかけ、ジャケットの両肩《りょうかた》には金の肩章《けんしょう》が、胸《むね》には勲章《くんしょう》がついている。「今日はおふたりにとって、すばらしい一日になるでしょうな！」

ピーターセン卿《きょう》がこっちに向かって廊下《ろうか》を駆《か》けてきた。「未来の女王はハンス王子にエスコートしていただくおつもりだと思いますよ」といい、公爵《こうしゃく》を身ぶりで招く。「さあ、ごいっしょにまいりましょう。前のほうの席を見つけるお手伝いをいたします」

ピーターセン卿、ありがとうとエルサは心のなかで感謝した。

だが、公爵はピーターセン卿を無視《むし》した。「サザンアイルズ王国のハンス王子が、アレンデール王国の王女をエスコートして公《おおやけ》の場《ば》にあらわれたら、みな、さぞかしよろこぶでしょうな。未来の女王だけでなく、その伴侶《はんりょ》までいっしょなのですから。今日ほど、おふたりのご結婚《けっこん》を報告するのにふさわしい日はない。そうは思いませぬか？」

エルサは頬《ほお》を赤らめ、ピーターセン卿は落ち着きなくそわそわし、ハンスはあらぬほうを見た。

エルサはウェーゼルトン公爵の厚かましさにうんざりしていた。まだ結婚のことなんか考えていないのに。ハンスとはこの数か月で好ましい友情をつちかってきたし、その友情が、この先それ以上のものに発展《はってん》することだってあるかもしれない。でも、いま真っ先に考えなければならないのはこの王国を治めること。そして、ずっと心を占領《せんりょう》しつづけている秘密《ひみつ》のことだ。

それに、まずは今日の戴冠式《たいかんしき》をぶじに終えなければならない。

そのとき、エルサの部屋から物音がした。もう、オラフったら！

「閣下《かっか》、エルサ王女とはそのことについて、すでに話し合いました」ハンスはそっけなくいった。「まずなすべきは、女王としての仕事です」そばで聞いているピーターセン卿が満足そうにうなずく。

「もちろんそうであろう。だが、戴冠式というこの晴れがましい日に、こうしておおぜい集まった民《たみ》の前で婚約《こんやく》の発表をすれば、民とともにある女王が誕生《たんじょう》したと印象《いんしょう》づけられるのではないか」公爵はしつこく食いさがった。

エルサは公爵の勝手な言いぐさが信じられなかった。怒《いか》りがふつふつとわいてくる。

公爵はエルサにたたみかけた。「どうですかな王女、ご同意いただけますかな？」

「この話はまたの機会にいたしましょう」ピーターセン卿が懐中《かいちゅう》時計を見ながらいった。「大《だい》聖堂《せいどう》には、入りきれないくらいおおぜいの人が集まっています。すぐにでも戴冠式を始めないと」

ハンスが問いかけるようにエルサを見た。「公爵の意見も一理《いちり》あるが、決めるのはきみだ。きみはどう思う？」

「わたしは……」エルサは言葉につまった。指先がひりひりしはじめる。いくらハンスといっしょにいるのが楽しいからといって、わたしたちはまだ知り合って間もない。それに、ふたりの関係を先に進めることに、なぜだかためらいがあった。

「ところで王子、王女に正式に結婚《けっこん》の申しこみはしたのかね？」公爵《こうしゃく》がきいた。ハンスの腕《うで》をたたいてこう続ける。「なにしろ相手は王女なのだから、しかるべき作法《さほう》にのっとって、きちんと申しこみをせねばならぬ」

ハンスは顔を赤らめた。「いえ、ですが――」

「いま申しこむのだ。今日という今日は、ぜひともしていただきますぞ」公爵が浮《う》かれたようすでいった。それを横で聞いているピーターセン卿《きょう》が、こまったように薄《うす》くなりつつある髪《かみ》に手を通す。

「エルサ！」と呼《よ》ぶ声がした。オラフだ。そばにだれかいるときに、オラフがわたしを呼ぶことなんてこれまでなかったのに。「エルサ！」なにかこまったことが起きたのかもしれない！

ピーターセン卿がけげんな顔をした。

「ごめんなさい。ちょっと部屋にわすれ物をしたみたい」エルサはいった。いまや体じゅうがひりひりしはじめている。

ハンスはエルサの言葉が聞こえなかったようで、早くも片《かた》ひざをついていた。いままでは、体じゅうがひりひりすることなんてなかったのに。エルサは、廊下《ろうか》の壁《かべ》がこっちにせまってくるような感覚におそわれた。早くオラフのところに行かなきゃ。

ハンスが照れくさそうにエルサを見あげた。「アレンデール王国のエルサ王女、ぼくと結婚してくださいませんか？」

「エルサ！」また、オラフが呼んだ。さっきよりも声が大きい。

「ゲルダがわたしを呼んでるみたい」エルサはおずおずといい、ハンスを見おろした。自分の顔が赤くなっているのがわかる。「少しだけ、部屋に行ってきてもいいかしら」

ハンスはおどろきをかくすことができなかった。「えっ？　あっ、ああ、どうぞ……」声がだんだん小さくなっていく。

公爵がため息をついた。「ここで待っておりますぞ。王女のお返事も」そういって薄《うす》ら笑いを浮《う》かべる。

ハンスはさっと立ちあがり、ジャケットの勲章《くんしょう》を直した。エルサと目を合わせようとしない。気まずい状況《じょうきょう》が、公爵のせいでさらにひどくなってしまった。どうしよう、とエルサはうろたえたが、いまはとにかくオラフのところへ行って、なにがあったのかたしかめなければならない。

エルサは扉《とびら》を少しだけ開けてそっと部屋に入ると、扉を閉《し》めて、鍵《かぎ》をかけた。オラフはすぐそばで、ぴょんぴょんとびはねている。

エルサは声をひそめてきいた。「オラフ、どうしたの？　あんなふうに大きな声を出したらだめでしょう。だれかに――」

「ぼく、いいものを見つけたんだ！」オラフは声をはずませた。「ホープチェストをぐいぐい押《お》してたら机《つくえ》にぶつかっちゃってぇ。そしたら机に置いてあった鍵《かぎ》のついた箱が床《ゆか》に落ちたの。見て！」

鍵のついた緑の箱が横向きにたおれている。なかはからっぽだ。アーチ形のふたの内側をぴったりとおおっているはずのベルベットの布がゆるみ、はがれそうになっている。布の下に、なにかあるようだ。

「ほら！」オラフが緑の布を指さした。「ぼくの手では引っぱり出せないんだけど、あの布の下になにかあるんだ。ねえねえ、たしかめてみて！」

オラフのいうとおりだった。エルサがベルベットの布をそっとはがすと、きれいにたたまれた帆布《キャンバス》が出てきた。

急いで帆布を広げた。おどろいたことに、絵が描《か》いてある。

初めは大広間《おおひろま》にかざってある王家の肖像画《しょうぞうが》に似ていると思ったが、すぐにどこかちがうと気づいた。この絵に描いてあるのは四人だ。国王と王妃《おうひ》とエルサのほかに、もうひとり小さな女の子がいる。

エルサよりも少し年下のその女の子は、国王にそっくりだった。大きな青い目、赤い髪《かみ》を二本に編み、鼻のまわりにそばかすが散らばっている。あわい緑色のワンピースを着て、ぜったいにはなさないというふうにエルサの腕《うで》をぎゅっとつかんでいる。

エルサは絵に指でふれたとたん泣き出した。「アナ！」いま、はっきりと思い出した。

記憶《きおく》がわっと体じゅうを駆《か》けめぐる。まるで記憶の海におぼれているかのように。

「思い出したわ」エルサはおどろきに体をふるわせ、そのまま床《ゆか》にたおれた。

13 ❄ エルサ

十三年前……


どこもかしこも粉だらけだった。

床《ゆか》も木のテーブルも一面、粉でおおわれていて、アナの髪《かみ》まで白くなっている。でも五歳《さい》のアナは、そんなことは気にしない。入れ物からもう一杯《いっぱい》、小麦粉をすくうと、空中にわっとまきちらした。

「雪みたい！」とさけぶアナの上に、粉が雪のように降《ふ》ってくる。ふたつに結わえた三つ編みの右側は、一時間前に編んでもらったばかりなのに、もうほどけてしまっている。「ねえ、エルサもやってみて！」

「アナったら、こんなに散らかしちゃって」思わず笑ってしまったエルサは、あたりを見まわしながら粉を片《かた》づけはじめた。

「アナ王女、お願いですから小麦粉はボウルのなかにきちんと入れてください」オリーナがたのみこんだ。

「だって、ミス・オリーナ、お空に投げるととってもおもしろいんだもん」アナは、さらに粉を空中にまきちらしながら、くすくすと笑っている。

「わたしはコンロや型の準備をしますから、おふたりは生地《きじ》を用意してくださいな」オリーナがいった。

「わかった。アナ、手伝って」エルサはほつれた金色の髪《かみ》を顔からはらいのけると、木のスプーンでバターをすくい、ボウルに入れた。アナは踏《ふ》み台にのぼり、そばで見つめている。

それから、ふたりでいっしょに、ボウルに砂糖《さとう》、小麦粉、バニラオイル、牛乳《ぎゅうにゅう》を加え、クッキーの生地がなめらかな薄《うす》い黄色になるまで交代でかきまぜた。卵《たまご》はエルサが割《わ》っていれた。前にアナが割ったとき、卵の殻《から》が生地に入ってしまったことがあったからだ。サンドリンガム国王にふるまったクッキーだった。

エルサが生地をかきまぜているあいだ、アナはすることがなくて退屈《たいくつ》だったので、厨房《ちゅうぼう》のなかを走りまわりはじめた。それを見てエルサが笑い出し、木のスプーンを放り出してアナのあとを追いかける。そこへ、母が厨房に入ってきて、ふたりの腕《うで》をつかんだ。

「とても楽しみね」母がいった。「お父さまはきっとおどろくわよ。あなたたちのつくるクルムカーケクッキーが大好きだから」

「クラム……ケーケ」アナはこのクッキーの名前をいおうとしたが、まだ一度もきちんといえたことがなかった。「クラムケーキ[*14]？」

母とエルサが笑った。

「クルムカーケよ」という言葉が母の口からなめらかにすべり出る。「わたしがあなたたちの年のころから、このレシピを使っているの。親友といっしょによく焼いたわ」

「そのとき、お母さまは愛情をこめて焼くことを学んだんでしょ」アナがいった。

「そうよ」母がアナのほどけた髪《かみ》を編みながらいった。

みんなでコンロのまわりに集まった。オリーナが火をつけ、クルムカーケ用の持ち手のついた円盤状《えんばんじょう》の鉄の型を火の上にのせる。このクルムカーケ用の鉄の型には、上下両方の面にアレンデール王国の紋章《もんしょう》が施《ほどこ》してある。父が好きな紋様《もんよう》だ。母は下の面の真ん中に生地《きじ》をのせて上の面をかぶせて閉《と》じ、火からずれないよう持ち手をしっかりとにぎった。みんなでいっしょに十秒数え、ひっくりかえしてまた十秒数える。型を開いてまるく焼けた生地をはがし、まだ熱いうちに円すい形の棒《ぼう》でくるくると巻《ま》いていく。この作業が、クルムカーケクッキーをつくるなかでいちばんむずかしい。オリーナも母も、この作業だけは、危《あぶ》ないから、といってエルサとアナに手伝わせてくれなかった。オリーナがいうには、熱い型にふれて何度もやけどをしたせいで、オリーナの指先はかたくなってしまったらしい。でも、クッキーが冷めて棒から外したあと、粉砂糖《こなざとう》をふりかけるのはエルサとアナにもやらせてもらえた。まるめたなかにあまいクリームをつめることもあれば、なにもつめないこともある。父はなにもつめないほうが好きだ。あっという間に六個のクルムカーケクッキーが焼きあがった。まだ、十個以上は焼けそうなほど生地は残っている。

「三人で続けていてくださいませんか？　すぐにもどりますから」オリーナがエプロンで手をふきながらいった。「配達してもらった野菜をとってきます」

「あたしにも型を使わせて。お願い。ねえ、いいでしょう？」アナがねだった。

「だめよ」母がアナにいった。「指をやけどしてしまうわ」アナの見ている前で、母はコンロから型をはなし、まるく焼けた生地をはがして棒で巻いていく。

「王妃《おうひ》」カイが厨房《ちゅうぼう》の戸口にあらわれた。「国王が、会議室へお越《こ》しくださるようにと」

母はエルサとアナを見た。「すぐにもどるわね。いい？　オリーナかわたしがもどるまで、型にさわったらだめよ」

エルサはうなずいたが、母が後ろを向いたときにはもう、アナはつま先立ちで型へ近づき、生地をすくって型にのせていた。エルサはいった。「アナ！　お母さまがさわったらいけないっていったでしょう」

「あたしにだってできるもん」アナはいいはり、十秒数えると、型をひっくりかえした。「お父さまのために、ひとりでクッキーを焼いてみたいの」

「ミス・オリーナを待とうよ」とエルサはいったが、アナは思いついたことはすぐに行動にうつす性格で、人からああしなさい、こうしなさいといわれるのが好きではなかった。

それに対してエルサは、言いつけをきちんと守るほうだった。

アナは型を開き、焼けた生地《きじ》を型から外そうとした。でも、型にふれたとたん、「熱い！」とさけんで生地を床《ゆか》に落とした。はげしく指をふりながら「やけどしちゃった」と泣き出す。

「見せてごらん」エルサはアナの手をつかんだ。二本の指が赤くなっている。なにか冷やすものはないか、とあたりを見まわす。テーブルの上に水がたっぷり入った銅の鍋《なべ》があった。オリーナはまだもどってこないはずだ。鍋の上で指先をふるわせ、水に意識を集中させる。すると、エルサの両手が青い光につつまれ、その指先から氷がとび出した。

「わあ！」アナは泣くのをやめた。

たちまち、鍋の水はかちんこちんに凍《こお》った。

「ここに手を置いて冷やしてごらん」とエルサがいったとき、氷がパキッと音をたてた。アナが氷に手をのばす。ふたりとも母がもどっていたことに気づいていなかった。

「エルサ、アナ!」母がこわいほど低い声でいった。

エルサはさっと両手を後ろにかくしたが、もうおそかった。エルサは母の言いつけに背《そむ》いてしまったのだ。だれかに見られるかもしれない場所では、あの力を使ってはいけないといわれていたのに。

「わかっているはずよ。こんなこと……」

「クッキーは、うまく焼けていますか?」オリーナが新鮮《しんせん》な野菜の入ったかごをかかえてもどってきて、かごをテーブルの上に置き、銅の鍋に気づくとはっとした。「まさか! この鍋ったらどうなってしまったんだろう? こんなあたたかい夜に水が凍ってしまうなんて」

母はアナとエルサを自分のそばに引きよせた。「ほんとうに不思議ね。オリーナ、アナが指をやけどしてしまったのよ。手あてをしたら、ふたりとももう寝《ね》かせるわ」

「でも、クッキーがまだ……」エルサは口をはさんだ。

母がきびしい視線《しせん》をエルサに向けた。「残りはオリーナに焼いてもらって、お父さまには明日の朝食のときにでも召《め》しあがっていただきましょう。今夜はもうおしまいよ」

オリーナはなにも答えず、あぜんとした顔で鍋を見つめている。

エルサはうつむいたまま答えた。「わかりました、お母さま」

エルサとアナがいっしょに使っている部屋で、母はアナのやけどをした指に薬をぬり、お気に入りの緑色のナイトドレスに着がえさせると、アナに父を呼《よ》びにいかせた。寝《ね》る前のお話をしてもらうためだ。月の光が大きな三角形の窓《まど》から差しこんでいる。エルサは青いナイトドレスに着がえようと衝立《ついたて》の後ろへいった。母が、アナが床《ゆか》に置きっぱなしにしていた人形を片《かた》づけながら子守歌を歌っているのが聞こえてくる。エルサがベッドに入ると、母が近づいてきた。

「ごめんなさい、お母さま」エルサは申しわけない気持ちでいっぱいだった。

母はベッドの端《はし》に腰《こし》かけた。「もういいのよ。それに、アナがやけどをしたのはエルサのせいではないわ。わたしかオリーナのどちらかがきちんと見ているべきだったのに、ふたりとも厨房《ちゅうぼう》をはなれてしまったから……」

「アナを見まもるのはわたしの役目よ」エルサはきっぱりといった。

「いいえ、エルサの役目はいい姉でいること。そして、自分で自分の身を守ることよ。エルサがあの力を使っていたとき、もしオリーナがもどってきていたら、どうなっていたと思う?」

母の眉間《みけん》にしわがよっている。エルサは母を心配させたくなかった。「オリーナには見られてない」

「でも、見られていたかもしれないでしょう。もっと気をつけないといけないわ、エルサ。お父さまもわたしも、あなたの力はかけがえのない天からの贈《おく》り物だと思っている。でも、力についてもっとくわしくわかるまでは、わたしたち家族だけの秘密《ひみつ》にしておきたいのよ。わかるわよね？」エルサはうなずいた。「お父さまが一生懸命《いっしょうけんめい》、調べてくださっているわ。図書室で何時間も本を読んで」母は自分の手とエルサの手を見つめると、エルサの手をにぎった。「いまはまだ、どうしてあなたがそんな魔法《まほう》の力をもって生まれてきたのかわからないけれど」

魔法の力。エルサの力について、母がこんなふうにいったのは初めてだった。この力はとても強く、エルサが少しでも氷のことを考えるだけで、指先から氷がとび出す。時には、氷のことを考えなくても勝手に出てくることもあるのだった。

母はエルサの手をさらに強くにぎりしめた。「いまはまだ、お父さまとアナとわたし以外の人の前で、その力は使わないと約束してちょうだい」

エルサはうつむいたまま答えた。「わかった。でもね、お母さま……ときどきわたし、どうやってこの力をコントロールすればいいのかわからなくなるときがあるの。すごく心配なことが起きたときなんかはとくに。お父さまは、かくしとおせ、感じてはだめだっていうけど、すごくびっくりしてあわてちゃったときとか、どうしたらいいかわからなくなるの」

母はエルサを抱《だ》きしめた。「その力にコントロールされるのではなく、エルサがその力をコントロールできるように、お父さまとふたりで方法をさがす。約束するわ」

「ほんとうに？」エルサはぱっと顔を輝《かがや》かせた。

「ええ。わたしたちのいちばんの望みは、あなたたちを守ることだもの。エルサも、アナも」

ちょうどそのとき、廊下《ろうか》からアナがくすくすと笑う声がした。父の大きな笑い声も聞こえてくる。

「これからは、もっと気をつけるようにする」エルサは母の耳もとでいった。

「いい子ね」母はエルサの頬《ほお》にキスした。

ふたりが扉《とびら》に目を向けたとき、アナと父が入ってきた。父はアナの両方の足首をつかんで、アナをぶらさげている。父がいった。「寝《ね》る前のお話を聞く準備はできたかい？」

「エルサ？　ねえ……エルサ、起きて、起きて、起きてよ！」

「アナ、まだ寝てようよ」エルサは目を閉《と》じたまま答えた。

でも、アナはベッドによじのぼり、エルサの体の上にどんっとのった。「寝てられない。お空も起きてるし、あたしも起きてる！　だから、遊ばなきゃだめ！」城の窓《まど》の外ではオーロラがゆらめいている。

エルサは片方《かたほう》だけ目を開けて、アナを押《お》しのけた。「じゃあ、ひとりで遊べば！」

アナが床《ゆか》にどさっと落ちる音がした。エルサはアナが泣き出すのではないかと耳をすました。けがをしていたらどうしよう、と少し後ろめたい気持ちになる。でも、しばらくすると、アナにまぶたをこじあけられているのに気づいた。

「雪だるまをつくるのはどう？」アナがいたずらっぽくきいた。

雪だるま？　エルサは思わずぱっと体を起こして、ほほえんだ。

いまは真夜中。

つまり、城にいる人たちはみんなぐっすり眠《ねむ》っている。

だれかに見られて、こわがられる心配もない。

魔法《まほう》の力をコントロールする練習をするなら、いまが絶好《ぜっこう》のチャンスだ。

すぐさま、ふたりは部屋をとび出した。アナはブーツを、エルサは室内履《しつないば》きをはいて階段《かいだん》を駆《か》けおりる。アナが「早く！　早く！」と小声でいいつづけているあいだ、エルサは「しーっ」といいつづけた。

ふたりは大広間《おおひろま》に駆けこんだ。天井がアーチ形になっている広い部屋にはだれもいない。木の装飾《そうしょく》と壁紙《かべがみ》が美しいこの部屋はパーティー用に飾《かざ》りつけられていることが多いのだが、この夜はなにもなく、がらんとしている。ふたりはつつーっとすべって部屋の真ん中でとまった。

「ねえ、魔法《まほう》を見せて！」アナが興奮《こうふん》してとびはねながらいった。

エルサは扉《とびら》を見て、閉《し》まっているかたしかめた。だいじょうぶ、と安心すると、手首を交差《こうさ》させながらくるくるとまわした。すると、手が青い光につつまれ、たちまち手のひらに雪玉があらわれた。「いい？　始めるよ」気持ちがたかぶってくる。魔法の力を使おうとするときはいつもこうだ。雪玉を両手で投げあげると、天井にぶつかって雪玉が割《わ》れ、粉雪がきらきらと舞《ま》いおちて床《ゆか》を真っ白におおった。

「わあ、すごい！」とアナがうれしそうにくすくすと笑うのを見て、エルサは誇《ほこ》らしい気分になった。アナはだれよりもわたしの力を気に入ってくれていて、魔法を見せて、としょっちゅうせがむ。お父さまもお母さまもわたしの力を秘密《ひみつ》にしておきたがるけれど、この力のおかげでこんなによろこぶ人がいるのなら、秘密にしておくなんてもったいない。それに、アナのよろこぶ顔を見ていると、こっちまでうれしくなってくる。

「見ててね」エルサは片方《かたほう》の足で床をタンとふみならした。すると、メキメキッと音をたてながら、たちまちエルサとアナだけのスケートリンクができあがった。アナがうれしそうにしているので、エルサはもっといろいろつくりたくなった。さらに意識を集中させ、雪をどんどん降《ふ》らせて、氷をつぎつぎと出していく。あっという間に、大広間は冬のおとぎの国のようになった。

さあ、つぎはいよいよアナの大好きな雪だるまづくりだ。ふたりで雪を転がして雪玉をつくり、三段《だん》に重ねた。エルサのつくった胴体《どうたい》の部分はまるいが、アナのつくった頭の部分は細長い。アナは厨房《ちゅうぼう》に駆《か》けおりてニンジンをとってくると雪だるまの鼻にし、石炭を目とボタンにした。そして、ふたりで暖炉《だんろ》から小枝を何本かとってきて腕《うで》と髪《かみ》の毛にした。

できあがると、エルサは雪だるまの後ろに立った。アナは玉座《ぎょくざ》に腰《こし》かけて雪だるまをながめている。エルサは雪だるまが生きているみたいに見せかけようと、わざとおかしな声でいった。

「やあ、ぼくはオラフ！　ぎゅーって抱《だ》きしめて」

アナは玉座からとぶようにして駆けよって、雪だるまに抱きついた。「大好きだよ、オラフ！」

アナが片時《かたとき》もオラフからはなれようとしないので、アナがスケートのパートナーのようにオラフにしがみついて氷の床をすべっているあいだ、エルサは雪だるまを押《お》しつづけた。そのあと、アナが雪の山をジャンプしたい、といい出した。エルサはアナがジャンプできるよう、つぎつぎと雪山をつくっていく。

「待って！」エルサはあわてた。

「こっちだよ！」緑色のナイトドレスを着たアナは、大よろこびで雪山から雪山へとジャンプしていく。どんどんスピードが増していくので、エルサはすばやく雪山をつくりつづけないとアナに追いつかない。「もっと！」アナがさけぶ。

「ちょっと待って！」エルサは息つく間もなく雪山をつくっていったが、つくるのとアナがとびおりるのがほとんど同時だ。「もっとゆっくりジャンプして！」とさけぶが、アナの耳にはとどかない。場所を確保《かくほ》しようと後ろにさがったとき、エルサは凍《こお》った床《ゆか》で足をすべらせた。顔をあげたとき、アナは宙《ちゅう》に舞《ま》いあがったところだった。その下にはなにもない。「アナ！」アナの下に雪山をつくろうと、あわてて空中に魔法《まほう》を放った。

手を動かす方向がずれ、氷の魔法がアナの頭にあたる。

アナは近くの雪山に落ちて転がり、床の上でとまった。ぴくりとも動かない。

エルサは妹のそばに駆《か》けよった。「アナ！」とさけんで腕《うで》に抱《だ》きかかえたが、アナは目を開かない。アナの赤い髪《かみ》がひと房《ふさ》だけ、すーっと白くなっていく。

エルサはぞっとした。息がのどにつかえ、体じゅうがふるえ出す。「お母さま！　お父さま！」

エルサはありったけの声を出した。エルサのつま先からメキメキと音をたてながら氷が広がり、床をおおい壁《かべ》を這《は》いあがっていく。どんどん厚くなっていく氷に雪だるまがなぎたおされ、ばらばらにくだける。エルサはアナを抱きかかえながらいった。「だいじょうぶだよ、アナ。わたしがそばにいるから」

そのとき、両親が大広間に駆けこんできて、アナを抱きかかえながらすわりこんでいるエルサを見つけた。母のおびえた表情を見て、エルサの恐《おそ》れが増すにつれ、さらに大広間が氷におおわれていく。

「これはどういうことだ」父がさけんだ。「エルサ、なにがあったんだ?」

「わざとじゃないの。ごめんね、アナ」エルサはふるえる声でいった。母がアナを抱きあげる。

「氷のように冷たいわ」母はつぶやいた。声に恐怖《きょうふ》がにじんでいる。

「行くべき場所はわかっている」父がいい、エルサと母についてくるようにうながした。

「アナはだいじょうぶよね? お母さま。だいじょうぶよね?」エルサはかすれた声でたずねた。こんなにおびえたことはいままでない。でも、父も母もだまったままだ。エルサはこみあげてくる涙《なみだ》をこらえた。

お父さまもお母さまも、あの力を使うときはくれぐれも気をつけるようにといっていたのに、アナをこんな目にあわせてしまった。こんなことになるのだったら、魔法の力なんてもういらない。

どうして魔法の力はなにもかもめちゃくちゃにしてしまったの？　どうしてわたしは、みんなみたいにふつうに生まれてこなかったの？　怒《いか》りがふつふつとわいてくるにつれ、胸《むね》の鼓動《こどう》が速くなる。雪が指先でくるくるとまわり出すが、とめることができない。

だめ！　エルサは気持ちを落ち着かせようと深呼吸《しんこきゅう》を繰《く》りかえした。

「エルサ！」母が呼《よ》んだ。

エルサが父と母のあとから城の図書室に入ると、母は扉《とびら》に鍵《かぎ》をかけた。母がアナを青い毛布にくるみしっかりと抱《だ》いているそばで、父は本棚《ほんだな》を見ながらなにかをさがしている。だれも口を開かなかった。もし、アナにとりかえしのつかないことをしてしまったのなら、わたしは一生、自分を許せない。

「これだ」と父がいい、くすんだ赤い表紙の本を本棚からぬき出した。とても古そうな本だ。父が本を開くと、そこにはエルサが見たこともない文字が書いてあった。ページのあちこちに記号も描《か》いてある。トロールがオーロラに向かって手を広げながら、ぐったりと横たわる人間を見おろしている絵もあり、人間の頭から青い煙《けむり》のようなものがしみ出ている。トロールがオーロラの力を使って傷《きず》を治しているのだ。

「ええ、その本ね」と母がうなずいたとき、ページのあいだから黄ばんだ紙がひらひらと舞《ま》って床《ゆか》に落ちた。

エルサは、それがアレンデールの古い地図だと気づいた。山の一点に印がつけてある。

父がアナの額《ひたい》にふれた。「まだ氷のように冷たい」

「こうしてはいられないわ。急いで連れていかないと」母が父にいった。

「馬を出そう。エルサ、おいで。大きな音をたてないように」

「お母さま、アナはだいじょうぶよね？」エルサはさっきの言葉を繰《く》りかえした。

「さあ、急ぎましょう」と母はいい、エルサはいわれたとおりにした。「厩舎《きゅうしゃ》に着くまで、だれにも見られないようにするのよ」

城のなかは不気味《ぶきみ》なほど静かだった。まるで城じゅうが、エルサのおかした過《あやま》ちに怒《いか》り、エルサを遠ざけているようだった。エルサはもうなにもたずねなかった。両親のあとについて厩舎に入り、父が二頭の馬に鞍《くら》をつけるのを見まもった。父は片方《かたほう》の馬に母がのるのを手伝うと、母の腕《うで》にアナを抱《だ》かせた。それから、エルサを手まねきしてもう片方の馬にのせ、その後ろにのると、厩舎から走り出た。母もそのあとを追う。二頭の馬は城門から外に出るなり速度を増し、夜の闇《やみ》のなかを駆《か》けていった。

エルサは目の前に続く道に意識を集中させて、気持ちを落ち着かせようとした。だが、エルサがのった馬が通りすぎると、知らず知らずのうちに地面が凍《こお》って、氷の道ができていくのだった。父は地図をしっかりとにぎりしめ、空のオーロラを道しるべにして進んでいった。川をわたり、山道をのぼるにつれ、海がどんどん遠ざかっていく。ある場所に来たとき、エルサは少年の声が聞こえたような気がしてふりかえったが、見えたのはまだ子どものトナカイだけだった。あっという間にトナカイは見えなくなった。

「着いたぞ!」といって父がとつぜんとまり、馬からおりた。そして、母とアナが馬からおりるのを手伝い、エルサもおろした。

ここはどこ?

そこは草におおわれた谷間だった。そのまわりは石段《いしだん》にかこまれていて、奇妙《きみょう》な形に積まれた苔《こけ》だらけの岩があちこちに転がっている。ところどころにある間欠泉《かんけつせん》*15から出る湯気《ゆげ》が周囲に不気味に立ちこめている。ここがどこだかわからないが、とても謎《なぞ》めいた場所だ。母はとても心配そうな顔をしていて、そんな母を見るのは初めてだった。ぜんぶわたしのせいだ、とエルサは落ちこんだ。

「おいで、エルサ」と父にいわれ、エルサは父の腕《うで》のなかに駆《か》けこんだ。「だいじょうぶだ」大広間に駆けつけて以来、初めて父がそういった。母は父のすぐ後ろにいて、アナを抱《だ》いている。父が暗闇《くらやみ》に向かって呼《よ》びかけた。「たのむ！　助けてくれ！　娘《むすめ》が危《あぶ》ないんだ！」

お父さまはだれに話しかけているんだろう？　エルサがたずねようとしたとき、いくつもの岩ががたがたとゆれ出し、こっちに向かって石段《いしだん》を転げおちてきた。

岩が近づいてくるのを見て、エルサは母の脚《あし》をつかんでスカートに顔をうずめた。父がエルサたちをそばに引きよせる。エルサは母のスカートのひだからそっとあたりをうかがった。

がたがたという動きがぴたりととまったとたん、それぞれの岩からいっせいに手足が出てきて、すっと立ちあがった。石でできた彫刻《ちょうこく》みたいな灰色《はいいろ》の小さな生き物たちはトロールだ。からだに生えた苔《こけ》はまるで服のようで、水晶《すいしょう》の首飾《かざ》りを首からぶらさげている。頭の上には苔のような色の髪《かみ》が生えていて、耳は大きく、寄り目がちな目の白い部分が、月明かりのなかでほのかに光っている。目の前にいるトロールたちを見ていたら、エルサの頭にハリネズミが思いうかんだ。

「国王だ！」とトロールのひとりがいうと、トロールたちがもそもそと前に進んだ。長い苔のマントをはおったトロールがさらに前に進み出る。きれいな黄色い水晶の首飾りをつけている。

「パピーさまに道をあけろ!」

「陛下《へいか》」とトロールの長老《ちょうろう》のパピーがおじぎをした。そして、手をのばしてエルサの手をにぎった。「この力は生まれつきなのか? それとも呪《のろ》いをかけられたのか?」

エルサははっと息をのんだ。どうして知っているの?

父もエルサと同じことを考えているようで、緊張《きんちょう》した声で答えた。「生まれつきだ。日に日に強くなっている」

パピーが母に手で合図した。母は地面に両ひざをつき、アナをパピーに見せた。パピーはアナの頭に手を置くとふさふさの眉《まゆ》をよせた。「魔法《まほう》があたったのが心臓《しんぞう》でなくてよかった。心にいったん魔法がかかると、そうかんたんにはとけないが、頭ならなんとかなる」

父は母と顔を見合わせ、パピーにいった。「必要なことはすべてやっていただきたい」

「魔法をすべて頭から消しさるのがよかろう。念のため、魔法についての記憶《きおく》もすべて」パピーがいった。

魔法の記憶をすべて消しさる? 「そしたらアナは、わたしに魔法の力があることもわすれてしまうの?」エルサはきいた。どうしてもきかずにはいられなかった。

「こうするのがいちばんいいのだよ」父がいい、エルサの肩《かた》に手を置いた。

エルサが心を許せる人は、もともとあまり多くない。アナが魔法のことをわすれてしまったら、この秘密《ひみつ》をだれと分かち合えばいいの？　胸《むね》の鼓動《こどう》が速くなる。アナはわたしのいちばんの味方《みかた》よ。クッキーだっていっしょに焼くし、大事な妹なのよ。なんでも打ちあけ合ってきたのに。

「いいか、エルサ」パピーが、いまエルサが心のなかで思っていたことを聞いていたかのように、やさしくいいきかせた。「そなたの魔法の力はこれからどんどん強くなる」そういって、パピーが空に向かって両手をあげると、空中に青い雲のようなものがあらわれた。やがてそれは、女の人とたくさんの人がいる場面に変わった。女の人が魔法で大きな雪の結晶《けっしょう》をつくる。エルサがそれまでに見たことがないほど美しい雪の結晶だ。「とても美しい力だが、大きな危険《きけん》も秘《ひ》めている」

とつぜん、雪の結晶が真っ赤に染《そ》まったかと思うと、勢いよくとびちった。

エルサは目を見開いた。

パピーは続けた。「力をコントロールする術《すべ》を学びなさい。恐《おそ》れが敵《てき》となるだろう」

場面のなかの人たちは赤い色に変わったが、中央にいる女の人は青いままだ。エルサには女の人が感じている恐れがわかった。わたしもこんなふうになってしまうの？　みんなからのけ者にされてしまうの？　おおぜいの赤い人たちが、女の人におそいかかる。やがて、叫《さけ》び声が聞こえたかと思うと、場面がばらばらにくだけちった。エルサは父の胸《むね》に顔をうずめた。

「おまえをこんな目にはあわせはしない！」父がいい、母を見た。「エルサを守ろう。エルサなら力をコントロールできるようになるはずだ。この子の力をだれにも知られてはならない」

父はエルサを見て、いいよどみながらもこう続けた。「アナにも」

「いや！　お願い！」エルサは訴《うった》えた。そんなの耐《た》えられない。「もう二度とアナを傷《きず》つけたりしない。約束する」そういって母を見る。

「あなたに罰《ばつ》をあたえようとしてるわけじゃないのよ。お父さまとパピーが話すのを聞いていたでしょう。わたしたちは、あなたたちふたりを守らなければならないの」

エルサには信じられなかった。ほんとうのわたしをアナが知らないなんていや。アナはこの魔法《まほう》の力が大好きだ。両親以外で、この力の秘密《ひみつ》を共有できるのはアナしかいない。これから先、だれと雪遊びをすればいいの？　アナがわすれてしまったら、こんな力があったって、ぜんぜん楽しくない。

「こうすれば、アナは助かるのだ」パピーがエルサにいった。「アナだけでなく、そなたもな」

エルサは父と母の決意を変えさせる方法はないかと必死に考えたが、ふたりの注意を自分に向けることさえできなかった。いまやふたりとも、アナしか見ていない。エルサが苦しみに顔をゆがめる前で、パビーはアナの頭にそっと指をふれ、その手を空中にすっとのばした。

父がエルサの背中《せなか》をやさしくなでた。「つらいだろうが、おまえは勇気のある子だ。アナにとっていちばんいいことをしなければならない。そうだろう？」

「はい」とエルサは答えながらも、胸《むね》のうちではこう考えていた。わたしにはアナが必要よ。だって、わたしの魔法を理解してくれるのはアナだけだもの。「でも、魔法をいっしょに楽しめるのはアナしかいないの。だから、アナから魔法の記憶《きおく》を消さないで」

「だいじょうぶだ、エルサ」父がいった。

ヒューッと風が吹《ふ》いたような音がすると、青い渦《うず》を巻《ま》いた雲のようなものが空中にあらわれた。エルサの魔法のようにきらきらしている。やがて、空にエルサとアナが映《うつ》し出された。ふたりは大広間で雪遊びをしている。スケートをしたり、オラフをつくったり……どれも、魔法を使わなかったらできないことばかり。パビーはこの記憶をどうやってアナの頭から消しさるというの？

たちまち、空に映し出されたふたりの記憶が魔法ぬきの記憶に変わっていった。大広間での雪遊びは外でそりをしていることになり、大広間の床《ゆか》でのアイススケートは近くの凍《こお》った池でしていることになり、大広間でつくったオラフは森でつくったことになった。魔法に関する記《き》憶《おく》が、アナの頭から消えてしまう。エルサにはそれが耐《た》えられなかった。

「お願い、もうやめて！」エルサはさけんだ。指先がひりひりして、両手が青い光につつまれる。

「心配はいらない。楽しかった思い出はそのまま残る」パピーがいった。

だが、エルサが残していてほしいのは、楽しかった思い出ではなく、ふたりでいっしょに魔・法・で遊んだ記憶だ。トロールの長老《ちょうろう》のパピーは、それを消しさろうとしている。つらさのあまり顔をゆがめるエルサの前で、パピーはエルサが魔法で雪をつくり出すときと同じように手を動かして、魔法ぬきの記憶をボールのようにまるめた。そして、その手をゆっくりとアナの頭に近づけていく。エルサにはなにが起きるのかわかった。パピーがアナの頭にふれた瞬間《しゅんかん》、古い記憶が新しい記憶と入れかわるのだ。アナとの結びつきが永遠に断《た》ち切られてしまう。そんなのいや。

「やめて！」とさけび、エルサは父の腕からはなれた。

「やめろ、エルサ！」父がさけび、母があわててエルサに手をのばす。だがもうおそかった。

エルサの手が、アナの額《ひたい》にふれようとするパピーの手と重なる。

その瞬間、ふたりの手から青い光がほとばしって、まわりの岩が大きくゆれた。山の斜面《しゃめん》から谷間に向かって岩がごろごろと転がり出し、トロールたちがかくれる場所を求めて逃《に》げまどう。青い光はどんどん輝《かがや》きを増し、やがて無数の星のようにくだけちった。その場面を目に焼きつけたのを最後に、エルサの視界《しかい》は真っ暗になった。

＊14　パンくずのケーキの意味
＊15　一定の時間をおいて周期的に噴水《ふんすい》のように熱湯や水蒸気《すいじょうき》をふきあげる温泉

14 エルサ

エルサははっと目を覚ますと、長いあいだ水中にもぐっていたかのように息苦しくてあえいだ。生々《なまなま》しい記憶《きおく》がまだ鮮明《せんめい》に残っていて、必死に深い呼吸《こきゅう》を繰《く》りかえす。

「エルサ！　エルサ！」オラフがそばに立ってこっちを見おろしている。「エルサったら、たおれちゃったんだよ。だいじょうぶ？」

エルサの部屋の扉《とびら》をはげしくたたく音がした。「エルサ王女、だいじょうぶかい？」

ハンスの声だ。

「なぜ、返事がないんだ？」ハンスがさけぶ声が聞こえてくる。

「エルサ？　聞こえているなら返事をしてくれ」ピーターセン卿《きょう》だ。

「はい」と答えたエルサの声はふるえていた。「いま行きます」

どれくらい気を失っていたのだろう。

「エルサ、なにがあったの？」オラフがたずねた。

エルサはゆっくりと体を起こした。体じゅうがゼリーになったかのように力が入らない。記《き》憶《おく》はエルサの心をナイフのようにえぐっていた。魔法《まほう》の力は前からあった。お父さまもお母さまも、生まれたときからわたしにこの力があることを知っていた。なぜだかわからないけれど、わたしは自分に魔法の力があることをわすれていた。その事実と、自分が起こしたことの重大さに、打ちのめされそうになる。「アナはわたしの妹よ」声をつまらせながらいった。「わたしの魔法のせいで、アナは死んでしまったの」

15 アナ

気持ちがたかぶるあまり、アナの頬《ほお》は赤く染《そ》まっていた。

今日は待ちに待った戴冠《たいかん》式の日！

パン屋は人であふれていた。ハーモン村では、エルサ王女の戴冠式をじかに見るためにアレンデールまで行く人はほとんどいなかったが、自分たちなりのやり方でお祝いをしようと準備におおいそがしだった。多くの人が早めに店を閉《し》め、食べ物をもちよって通りに集まり、友人とおしゃべりしたり、おどったりしようと用意をととのえている。アナの母はこの日のために何種類ものケーキを焼き、食料雑貨店の店主のゴーランは豚肉《ぶたにく》とジャガイモを料理し、父はリュート*16をかかえた男の人たちと打ち合わせをしていた。よく晴れた夏のこの日、アナは、村じゅうがそわそわと浮《う》きたった空気につつまれているのを感じた。

真の指導者が不在のまま三年という時がすぎ、いまようやく、アレンデール王国に女王が誕《たん》生《じょう》しようとしているのだ。

戴冠式の日は、新しいスタートを切る日でもある。アナは自分にも、新しいスタートを切る日がおとずれればいいのに、と思っていた。それも少しでも早く！　でも、いまそう訴《うった》えたところで、また父さんと母さんと言い争うことになってしまうだろう。まだ若《わか》いとかなんとかいわれるに決まってる。それにふたりともあたしの助けが必要だ。二十一歳《さい》になるまであと三年……時があっという間にすぎればいいのに……とアナは願った。

「ありがとう、アナ！」アナがシナモンロールを袋《ふくろ》に入れると、エリクセンの奥《おく》さんがいった。

「パーティーで会いましょう」

「うん、今夜ね！」といい、奥《おく》さんがパン屋のドアを開けるのを見まもっていたとき、アナは開いたドアの向こうに、若者《わかもの》とトナカイがいるのに気づいた。どちらもドアに背《せ》を向けている。

クリストフとスヴェンだ！

クリストフが来てくれるなんて！　アナはエプロンで手をふき、急いで外に出た。クリストフがスヴェンと話している声が聞こえてくる。

「ああ、わかってるよ、あの子に話しかければいいんだろう？」クリストフがむっとした声でいった。「おまえといい、バルダといい、パビーといい……いうだけならなんだってかんたんなんだ！　恋愛《れんあい》のスペシャリストだかなんだか知らないが、バルダもパビーも谷を出たことなんかないいじゃないいか」

スヴェンが鼻を鳴らした。

「こんにちは」アナは声をかけた。ほんと、クリストフっておかしい。アナはクリストフが真《ま》っ青《さお》なきちんとしたシャツとこざっぱりしたズボンを身につけているのを見て、とつぜん、自分がどんな格好《かっこう》をしていたか気になった。緑のワンピースの上に、粉とアイシングだらけのエプロン。ふたつに垂《た》らした三つ編みは、二日間ほったらかしにしたままで、編みなおしたほうがよさそうだ。「あたしに会いにきてくれたの？　あっ、えっと、会いにっていうか、ここに来たってことは、その……おなかがすいてるんだよね？」

クリストフはぱっと顔を赤らめた。「えっ？　ああ、うん。いや、ええと……」にぎりしめていたニンジンの束《たば》を差し出す。「きみに借りを返そうと思って」

「えっ？」アナはニンジンを見おろした。「わざわざ来てくれるなんて――**わっ！**」

スヴェンがどんっとぶつかってきたひょうしに、アナはクリストフの腕《うで》のなかにとびこんだ。そのままふたりともよろけて、店の外に置きっぱなしになっていた小麦粉の袋《ふくろ》の山にたおれこむ。

「ほんと、はずかしい」アナは起きあがろうともがきながらいった。「あっ、あなたのことじゃなくて……あたしのこと」よろめきながら立ちあがる。「あなたはとってもすてき。やだ、あたし、いまなんていった？」

アナはいままでだれかに、そんなふうにいったことなどなかった。あたしって、クリストフをすてきだと思ってたわけ？　話題を変えなくっちゃ。「それだけのために来てくれたの？　ニンジンをわたすためだけに？」

「ああ、うん、いやその……」クリストフはしどろもどろになって答えた。「ええと……」スヴェンはずっと鼻を鳴らしつづけている。「ここには長くいられないんだ。アレンデールに氷の配達があって、いまから山をおりるから」

「山をおりる？　あたしもアレンデールへ行くのよ。といっても、今日じゃなくて三年後だけど。アレンデールで自分のパン屋を開くつもりなの」

クリストフが頭をかきながらきいた。「三年後？」

「そう。両親はこの店をつがせたがってるけど、あたしはいつかハーモン村をはなれたいの」

クリストフはだまってアナを見つめている。「あなたなら、あたしの気持ちがわかるでしょ。氷を売って、王国じゅうを見てまわってるんだから。あなたはスヴェンの引く荷車にのってどこへでも行けるけど、あたしはずっとこの村に閉《と》じこめられたままなんだもの」

「そういうのは、閉じこめられてるとはいわないんじゃないのか」クリストフはぼそぼそといった。「ここはとても暮《く》らしやすそうだし。それに放浪《ほうろう》の旅を続けて、納屋《なや》に寝《ね》かせてくれと頭をさげる心配もないし、岩だらけの谷で育てられるなんてこともないだろう」

「えっ、なに？」アナは聞きまちがえたのかと思ってたずねた。

「いや、なんでもない」クリストフは目をそらした。

アナの頭にそのとき浮《う》かんだのは、とつぜん命を絶《た》たれてしまったフレイヤのことだった。ほかにもっと行きたい場所があるのに、一秒たりとも時間をむだにするのはもういやだ。「きっと、あなたにはわからない」そういって、アナは片方《かたほう》の三つ編みに手をふれた。あと三年なんて長すぎる。

「なあ」クリストフがアナに近づいた。「その髪《かみ》どうしたんだ？」

「ああ」アナはこの質問には慣れていた。「このひと房《ふさ》の白い髪のことでしょ。生まれつきなの。父さんと母さんがそういってた。あたしは赤ちゃんのころ、養女にむかえられたんだ。夢では、トロールにキスされてこうなってたけど」

クリストフは目を見開き、もっとくわしく知りたくてあわててきいた。「いま、トロールっていったよな？」

＊16　ギターに似た弦《げん》楽器

16 エルサ

「アナが……死んじゃった？」オラフが、自分でもなにをいっているのかわからないというふうにエルサの言葉を繰《く》りかえした。

オラフの悲しみに打ちひしがれた顔を見ていたら、エルサは自分でも気づかないうちに泣き声をもらしていた。「わたしのせいで、アナは死んでしまったんだわ」

青い光がエルサの指にあらわれたかと思うと、指先から氷がとび出して、壁《かべ》や床《ゆか》をおおった。扉《とびら》をたたく音はますますはげしくなっている。いま、扉が開いてなかを見られたら、これ以上悪いタイミングはない。でも、エルサは悲しみに胸《むね》をふさがれていたので、だれかに見られることまで考えがおよばなかった。

アナは死んだ。だからお父さまもお母さまも、妹の存在《そんざい》をわたしにかくしていたのね。お母さまがいつもさびしそうだったのもとうぜんよ。わたしが家族の形を永遠に変えてしまったんだもの。お父さまもお母さまも、わたしがしたことを許せるはずがない。王国の民《たみ》だって。

でも……。

泣くのをやめ、前庭の噴水《ふんすい》にあるブロンズ像や、廊下《ろうか》の壁にかけられた王家の肖像画《しょうぞうが》を思いうかべる。ブロンズ像も肖像画も三人だ。どうしてお父さまもお母さまもルーデンバーグ氏も、絵や彫刻《ちょうこく》にアナの思い出をとどめようとはしなかったのだろう。いなくなった王女についてだれも話さないのはなぜ？　どうしてお父さまとお母さまは、アナも描《か》いてある絵を鍵《かぎ》のついた箱にかくしていたの？　だれかがアナについて話すのを、いままでひとことだって聞いたことがない。それどころかお母さまは、いつもだれかにきかれると、エルサのあとに子どもは授からなかった、と答えていた。

「どういうことなの？」疑問《ぎもん》がつぎつぎとわいてくる。どくんどくんと耳の奥《おく》で鼓動《こどう》が大きく響《ひび》く。なにかを見落としている気がするのに、それがなんなのかわからない。「お父さまとお母さまは、いつだってわたしを守ろうとしてくれた。でも、わたしに妹がいたことを、王国じゅうの人にわすれさせるなんてできるわけがない」

「ぼくにもよくわかんないけど」オラフがひょこひょこと歩いてきた。「たぶん、この手紙を読めばわかるんじゃないかな。さっきエルサが箱に入ってた絵を床《ゆか》に落としたとき、絵の下にこの手紙があるのを見つけたんだ」

エルサはぱっと顔をあげた。「手紙？」

オラフは小枝の手に羊皮紙《ようひし》を一枚もっていた。そこにならんだ文字を見て、エルサはその手紙を書いたのがだれだかすぐにわかった。

お母さまだわ。

「エルサ!」いまやピーターセン卿《きょう》とハンスがそろってエルサを呼《よ》び、扉《とびら》をはげしくたたいていた。「エルサ、だいじょうぶかい? 返事をしてくれ!」

エルサは返事をしなかった。ふるえる指をオラフの手ににぎられている手紙にのばしたとき、扉の鍵《かぎ》がガチャガチャと鳴る音がした。胸《むね》をどきどきさせながら手紙に目を走らせる。きちんと読んでいる時間はない。しかたなく、いちばん知りたい答えをさがした。

〝**トロール、〈リヴィング・ロックの谷〉、何年も胸の奥《おく》にしまいこんできた秘密《ひみつ》……**〟という言葉を目で追っていくうちに、こんな言葉に行きあたった。

〝**わたしたちは、あなたのこともあなたの妹のことも心から愛している。でも、あなたたち姉《し》妹《まい》を引きはなすしかなかったの**〟

引きはなすしかなかった? だったら、アナは生きているの?

エルサは笑い声と泣き声が入りまじった声をあげた。

わたしはひとりじゃない。わたしには妹がいる！

「オラフ！　生きてる！　アナは生きてるわ！」とエルサがいったとき、扉《とびら》の外のさわぎがさらに大きくなった。

オラフが歯を見せてにっと顔をほころばせた。「アナはどこにいるの？　いっしょにさがしにいかなくちゃ！」

「そうね！　そうよね！」エルサはまた手紙に視線《しせん》を落とした。アナをほんとうにさがし出せるのか、その手がかりを求めて今度はしっかりと読むつもりだった。

〝愛しいエルサ。あなたがこの手紙を読んでいるということは、わたしとアグナルはもうこの世にいないということでしょう。そうでないなら――〟

そのとき、エルサの部屋の扉が開いた。

エルサの手から手紙がすべりおち、オラフが衣装《いしょう》部屋にまっしぐらにとびこむ。

「エルサ！」扉のそばでハンスがいった。心配そうな表情を浮《う》かべている。「なにがあったんだ？　だいじょうぶかい？」

「だいじょうぶよ」エルサはきっぱりといい、ハンスや、そのあとに部屋に入ってこようとしていたピーターセン卿《きょう》、ゲルダ、ウェーゼルトン公爵《こうしゃく》を扉の向こうに急いで追いやり、廊下《ろうか》に出て扉を閉《し》めた。そこにはカイとオリーナもいた。エルサはふと考えた。カイやオリーナも秘《ひ》密《みつ》を知っている？　アナがだれで、どこにいるのか。答えがほしい新たな疑問《ぎもん》がつぎつぎとわいてくる。

ピーターセン卿が胸《むね》に手をあてた。「けがでもしたのかと心配したよ」

「まさか」エルサは笑みを浮かべた。「だいじょうぶ。ぜんぜん問題ないわ。ほんとうよ」

「どうして何度も呼《よ》びかけたのに出てきてくれなかったんだい？」ハンスが問いつめた。「てっきり……」

公爵がめがね越《ご》しにエルサをじろりとにらんだ。「そう、てっきり王女はハンス王子の結婚《けっこん》の申しこみの返事をするのがいやで、逃《に》げ出したのかと思っておったのですぞ」

「結婚の申しこみ？」とエルサは繰《く》りかえし、すぐにどういうことだったか思い出した。ハンスに結婚の申しこみをされたのだが、オラフに呼《よ》ばれ、あわてて部屋にもどったのだった。「わたしは……」

エルサはとにかく手紙を読みたかった。どうしてお父さまとお母さまはわたしとアナを引きはなすしかなかったの？　なぜわたしは、ふたりが亡《な》くなるまで魔法《まほう》の力について知らなかったのだろう。王国のだれもがアナについて話さないのはなぜ？　アナが生きているなら、どこにいる？　わたしの魔法のせいでアナを遠ざけてしまったの？

どうしても、いますぐ手紙が読みたい。

「そう。ハンス王子は返事を待っているのですぞ」ウェーゼルトン公爵《こうしゃく》が、ハンスに手を向けながらいった。ハンスはこまった表情を浮《う》かべている。

「この会話の続きは、戴冠式《たいかんしき》のあとにしたほうがいいと思うのですが」ハンスがいった。

「そうですね。早く大聖堂《だいせいどう》に行かなければ」ピーターセン卿《きょう》が公爵にうながす。

ゲルダがエルサの腕《うで》に手を置いた。「エルサ王女、お顔が赤いですわ」

「ハンス、わたしは……」エルサはハンスから、ほかのみんなに視線《しせん》をうつした。いまはお母さまの手紙のことしか考えられない。「もう少しだけ時間をください」そういって扉《とびら》の取っ手に手をのばす。だが、公爵が扉を開けさせまいとした。

「もうじゅうぶんにわしらを閉《し》め出したであろう」

公爵のいやみな言葉を聞いて、エルサの頭にかっと血がのぼった。

「王女に向かって、そんな口の利《き》き方は失礼ですよ」といい、ハンスは公爵と言い争いを始めた。

エルサはもどかしげに扉を見つめた。過去を知る手がかりとなる手紙を選ぶか、未来を決めることになるハンスへの返事を選ぶか。指先がまたひりひりしはじめる。やっぱり、この気持ちはおさえられない。いますぐ手紙が読みたい。

「お返事はいますぐにはできません」エルサは声をふるわせながらいった。「ごめんなさい、ちょっと失礼します」

公爵がエルサをとめようとその腕にふれた。「王女、よろしいですかな――」

その瞬間《しゅんかん》、体じゅうに波のようにふるえが押《お》しよせた。ドレスの高い襟《えり》が猛烈《もうれつ》にちくちくしはじめ、たかぶった感情を押しとどめることができない。エルサは強い口調でいいかえした。「だめよ。わたしは部屋にもどらなくてはならないの。あなたはここから立ちさりなさい」

「立ちされだと？」公爵が怒《いか》りをあらわにした。「戴冠式もまだ終わってないのですぞ？」

「エルサ、部屋にもどっている時間はもうない」ピーターセン卿が訴《うった》えるようにいった。

「司教《しきょう》がお待ちです」カイも横からいいそえた。

「エルサ王女。だいじょうぶですか？」ゲルダが心配そうに声をかける。

いいえ、だいじょうぶじゃないわ。わたしはあの手紙を読まなければならない。

〝あなたたち姉妹を引きはなすしかなかったの〟

アナを見つけなければ。わたしたち姉妹は、長いあいだずっと引きさかれていた。目の前にいる人たちから、ふたたび扉に視線《しせん》をうつす。部屋に入れさせないというのなら、ここをはなれるふりをして、べつの入り口からこっそり入ればいいわ。城には秘密《ひみつ》の通路がたくさんあるんだもの。みんなを押《お》しわけて廊下《ろうか》を進んでいく。袖《そで》がきつくて思うように腕《うで》を動かせない。

「エルサ、待ってくれ」ハンスが引きとめようとエルサの手をつかんだとき、偶然《ぐうぜん》、手袋《てぶくろ》が外れた。

「手袋を返して！」エルサはうろたえた。

ハンスはエルサの手のとどかないところに手袋を遠ざけた。「なにかこまっていることがあるなら話してくれないか。きみの助けになりたいんだ」

「エルサ、司教《しきょう》が待っている」ピーターセン卿《きょう》がいった。

「ウェーゼルトン国はアレンデール王国の密接《みっせつ》な貿易相手国なのだから、戴冠《たいかん》式に出ないわけにはいかんのだ……」公爵《こうしゃく》はぶつぶつと文句《もんく》をいっている。

ゲルダがみんなの話をさえぎろうとした。「エルサ王女は混乱《こんらん》しておられます」

エルサは目を閉《と》じ、小さな声でいった。「もうたくさん」

公爵はまだ話しつづけている。「最高の状態で王女を民《たみ》の前にお披露目《ひろめ》できるよう助言しただけなのに、王女が部屋に閉じこもってしまったから……」

エルサは公爵をだまらせたかった。エルサの頭のなかで、母の手紙の言葉が繰《く》りかえされる。

〝わたしたちは、あなたのこともあなたの妹のことも心から愛している〟

妹。

そう妹。

わたしには妹がいる！

ほかのことはどうでもいい。エルサはみんなを押《お》しのけ、廊下《ろうか》を駆《か》け出した。後ろから声が追ってくる。

「王女さま、お待ちください」カイが呼《よ》びかける。

待つなんてできないわ。あの手紙を読まなければいけないのよ。妹。わたしには妹がいる。

息がみだれ、指先が焼けるようにひりひりする。

「エルサ王女！」ハンスがさけんだ。

「もうたくさんだっていったでしょう！」

その瞬間《しゅんかん》、エルサの手袋《てぶくろ》をはめていない指先から氷が放たれ、短剣《たんけん》のように先のとがった氷がつぎつぎと床《ゆか》からつき出てきた。あっという間にエルサとみんなのあいだに氷の杭《くい》が立ちはだかる。ハンスが胸《むね》に刺《さ》さりそうになった氷の杭をよけ、公爵がよろけて床にたおれこむ。氷のかけらが宙《ちゅう》を舞《ま》い、ゆっくりと床に落ちていく。

エルサはおそろしさのあまり息をのんだ。

わたしの秘密《ひみつ》を、みんなに知られてしまった。

「魔法《まほう》だ」公爵《こうしゃく》が声をしぼり出すようにしていった。立ちあがろうともがくそのこめかみが、怒《いか》りでぴくぴくと動いている。「やはりな。この王国はなにかあやしいと思っておったのだ！」

エルサはショックに打ちのめされながら手袋をしていない手をつかんだ。ハンスと目が合うが、その顔にはぼうぜんとした表情が浮《う》かんでいる。

「エルサ？」ハンスがかすれた声でいった。

できることは、もうひとつしかない。逃《に》げなければ。

エルサは廊下《ろうか》を走り出し、いちばん手前にあった扉《とびら》に駆《か》けこんだ。

「あそこだ！」だれかがさけぶ声が聞こえた。

エルサは気づくと前庭に続く階段《かいだん》に立っていた。目の前には噴水《ふんすい》があり、その真ん中には王家のブロンズ像がある。そこでは、おおぜいの民《たみ》が王女を待ちわびていた。王女に気づくと、人びとは拍手喝采《はくしゅかっさい》を送りはじめた。エルサがあとずさりしたとき、声が聞こえた。ハンスとカイ、それに公爵とピーターセン卿《きょう》が近づいてくる。しかたなく、エルサは戴冠《たいかん》式用のドレスのすそをもちあげ、階段をおりて人びとのあいだに駆けこんだ。

「王女だ！」だれかが大声をあげた。

「エルサ王女だ！」みんながおじぎをする。

だれも傷《きず》つけたくない。エルサは群衆《ぐんしゅう》のあいだから出られる場所はないかと、あたりを見まわした。

男の人がひとり、エルサの前に立ちはだかった。「われらの未来の女王！」

胸《むね》の鼓動《こどう》がだんだん速くなっていく。エルサはべつの方向へ行こうとした。

赤ちゃんを抱《だ》いた女の人が前に進み出て、親しみをこめていった。「王女さま」

エルサの頭に母とアナのすがたがぱっと浮《う》かぶ。

「だいじょうぶですか？」女の人が心配そうにたずねる。

「いいえ……」エルサは消えいるような声で答えた。あたりに目を走らせながら、あとずさりしていくと、ブロンズ像のある噴水のへりにぶつかって手をついた。その瞬間《しゅんかん》、たちまち水が凍《こお》ってしまい、空に向かってふきあげていた水が、エルサにつかみかかるような形のまま、空中でぴたりと凍りつく。

人びとが悲鳴をあげた。

「あそこにいるぞ！」公爵が前庭に続く階段からさけんだ。「つかまえるのだ！」

ハンスとピーターセン卿《きょう》はためらっている。エルサは心のなかでつぶやいた。ハンスなら力になってくれるかもしれない。でも、ハンスを危険《きけん》にさらしたくはない。もうだれも傷《きず》つけたくない。どっちへ逃《に》げればいいのだろう。まわりは人がいっぱいで、どっちへ行けばいいのかわからない。みんなは気づいただろうか？　わたしがこの力をコントロールできないことを。ひとりになりたい。

「お願いだから近づかないで。こっちに来ないで！」

エルサの指先から氷がとび出して階段《かいだん》にぶつかり、あっという間に凍《こお》りついた。その衝撃《しょうげき》で公爵《こうしゃく》がよろけてたおれ、めがねがふっとぶ。エルサははっと息をのんだ。

公爵がめがねをさがそうと体を起こし、声を張りあげた。「怪物《かいぶつ》だ！　王女は怪物だ！」

わたしは怪物なんかじゃない。エルサはもうこれ以上傷つきたくなかった。自分を理解してくれる人がいないかとあたりをさがすが、そんな人はどこにもいない。みんなこっちをおびえた目で見つめている。さっきの親切そうな女の人でさえ、赤ちゃんをかばって遠ざけている。

妹。

アナは、わたしに魔法《まほう》の力があると知っていた。アナだったらきっと、わたしを理解してくれるはず。なんとしてでも、アナを見つけ出さなければ。

エルサは城の前庭を走りぬけた。

「エルサ！」ハンスが呼《よ》ぶ声がエルサの耳にとどく。

だが、エルサは走りつづけた。フィヨルドに続く階段を見つけて駆《か》けおりていく。さらに進んでいくと、フィヨルドにつきあたった。これ以上先へは進めない。ハンスが近づいてきたのに気づいてあとずさりしたとき、片方《かたほう》の足がフィヨルドに入った。そのとたん、足もとの水が凍《こお》りつく。おどろきとともに凍った水を見つめながら、さらに一歩ふみ出すと、冷たい風が吹《ふ》きおこり、雪が降《ふ》りはじめた。足をふみ出すごとに水がどんどん凍って氷の道がのびていく。

エルサはそこを駆けていった。

「待ってくれ、お願いだ！」ハンスがエルサのあとを追い、そのあとをピーターセン卿が追いかける。雪がさらにはげしくなっていく。「エルサ、とまってくれ！」

とまったりするもんですか。いまやエルサは妹を見つけることしか考えていなかった。戴冠《たいかん》式のことなど、頭からすっかりぬけ落ちていた。息をはずませ、足もとの氷が割《わ》れないよう願いながら走りつづける。だが、足の動きに合わせて広がっていく氷はびくともしない。マントが風をはらんでひるがえる。決意が体じゅうを駆けめぐるのを感じながら、エルサはフィヨルドを走りつづけ、しだいに深まる闇《やみ》に消えていった。


〈下巻へつづく〉

ディズニー　ツイステッドテール

ゆがめられた世界
レット・イット・ゴー　上

2024年6月4日　第1刷発行
2024年9月6日　第2刷発行

著　　　ジェン・カロニータ
訳　　　池本　尚美
発行人　土屋　徹
編集人　芳賀　靖彦
発行所　株式会社Gakken
　　　　〒141-8416　東京都品川区西五反田2-11-8
印刷所　中央精版印刷株式会社

絵　水溜鳥
ブックデザイン　LYCANTHROPE Design Lab.　武本　勝利
DTP　Tokyo Immigrants Design　宮永　真之
編集協力　芳賀　真美

【お客様へ】
この本に関する各種お問い合わせ先
●本の内容については、下記サイトのお問い合わせフォームよりお願いいたします。
https://www.corp-gakken.co.jp/contact/
●在庫については　Tel 03-6431-1197（販売部）
●不良品（落丁、乱丁）については　Tel 0570-000577
学研業務センター　〒354-0045　埼玉県入間郡三芳町上富279-1
●上記以外のお問い合わせは　Tel 0570-056-710（学研グループ総合案内）

◎学研グループの書籍・雑誌についての新刊情報・詳細情報は、下記をご覧ください。
学研出版サイト　https://hon.gakken.jp/